NEJ

エヌ・イー・ジェイ

A NEW APPROACH TO
ELEMENTARY
JAPANESE

テーマで学ぶ
基礎日本語 VOL.2

西口光一〔著〕 NISHIGUCHI KOICHI

Kurosio Publishers

First edition : August 2012

Published by KUROSIO PUBLISHERS
4-3, Nibancho, Chiyoda-ku, Tokyo 102-0084, Japan
Phone: 03-6261-2867 FAX: 03-6261-2879
http://www.9640.jp/

ISBN 978-4-87424-562-0 C0081
Printed in Japan

はじめに

日本語習得の主役は学習者であるというのが本書の考え方です。学習者は、辞書を引きながら本文を勉強したり、CDを聞きながら本文を繰り返し練習したり、教室で先生の質問に答えたり、先生が示すモデルに従って模倣練習をしたり、クラスメートとペアでやり取りをしたり、ワークシートで語彙や文法の確認や練習をしたり、与えられたテーマについて作文を書いたり、先生に直してもらった作文を読み直したりクラスメートと交換したり、教室の外で友人と話をしたりするなど、さまざまな学習活動を通して日本語を習得していきます。「日本語を教える」というのは、そのような学習者の営みを演出し、支援することです。

本書『NEJ：A New Approach to Elementary Japanese — テーマで学ぶ基礎日本語』は、基礎(初級)日本語の教科書です。しかし、従来の教科書のように文型・文法事項を中心とした教科書ではなく、テーマ(何かについて話すこと)を中心に編まれた教科書です。学習者は各ユニットで、さまざまな学習活動を通して、そこで設定されているテーマについて自分のことが話せるようになります。そして、同時に、一連のユニット学習を通して、語彙や文法が体系的に学習できるようになっています。本書での学習を修了した段階で、学習者はさまざまなテーマについて自分のことが話せるようになるとともに、日本語能力試験N４の重要な語彙、文型・文法事項、漢字を総合的に習得することができます。

そのような学習と学習指導の土台となるのが本書です。本書を使って日本語を学習することで、楽しく充実した日本語の学習と学習指導が広まっていくことを願っています。

西口光一

CONTENTS

『NEJ［vol.2］』の構成 ....p.v ／『NEJ』の特長 ....p.vi ／ 凡例 ....p.viii ／ Explanatory Notes....p.x
学習者のみなさんへ ....p.xii ／ For the Learners ....p.xiv ／ 授業の流れ ....p.xvi
The Characters Appearing in the Textbook....p.xvii

	タイトル	テーマ	トピック	文型・文法事項
Unit 13 p.1	**My Daily Life** 毎日の生活	□毎日の生活について順序立てて話す	日常生活、放課後、帰宅後、夜のこと	• ～たら • ～てから • ～とき • ～ながら
Unit 14 p.9	**My Recreation** わたしの楽しみ	□趣味、好きなことについて話す	読書、スポーツ、マンガ、音楽、映画、アニメ、山登り、写真	• ～(する)こと／～(する)の
Unit 15 p.19	**My Future** わたしの将来	□将来の希望、やりたいことについて話す	将来のこと、進学、就職、大学院、研究、仕事、結婚、家事・育児	• ～つもりです • ～と思います • ～だろうと思います／～んじゃないかと思います／～かもしれません／～かどうか(まだ)わかりません／～か～か、(まだ)決めていません
Unit 16 p.27	**Abilities and Special Talents** できること・できないこと	□自分のできることや、食べられるものについて話す	話せる言語、読める言語、書ける言語、好み、料理、食べられるもの、作れる料理	• 可能表現
Unit 17 p.37	**Gifts** プレゼント	□あげたり、もらったりしたプレゼントについて話す	誕生日、クリスマス、プレゼント、おこづかい、もらってうれしかったもの	• 授受表現 あげる、もらう、くれる
Unit 18 p.45	**Support, Assistance, and Kindness** 親切・手助け	□親切にされたり、助けられたりしたことについて話す	家族や友人の手伝い、見送り、助けてもらったこと、親切にされたこと、教えてもらったこと、留学、海外出張	• 動詞＋授受の表現① ～てもらう、～てくれる

	タイトル	テーマ	トピック	文型・文法事項
Unit 19 p.57	**Visits** 訪問	□人から聞いた話や、自分が見たものについて話す	出張、知らない場所の情報、お見舞い、訪問、訪問先の様子、看病、手助け	• 動詞＋授受の表現② ～てあげる • ～そうです(伝聞) • ～そうです(様態)
Unit 20 p.65	**Praises, Scoldings, and Requests I Got from Someone Else** ほめられたこと・しかられたこと	□ほめられたり、しかられたりした経験について話す	ほめられたこと、しかられたこと、頼まれたこと、しつけ、依頼、子どもの頃のこと、昔のこと	• 受身表現①（他者からの褒めや叱りや言語的な働きかけなどを受ける） • ～ように言われました
Unit 21 p.73	**Making or Allowing** しつけ（1）	□兄弟に対する厳しいしつけや、自分に対するしつけへの反抗について話す	しつけ、兄弟の話、させられたこと、させてもらえなかったこと、嫌いな食べ物、親が兄弟にさせたこと、親が自分にさせようとしたが抵抗したこと	• 使役表現 • ～(さ)せてくれました • ～(さ)せようとしました • ～てほしい
Unit 22 p.83	**Someone Forces/ Allows Me** しつけ（2）	□学校で受けた指導や、子どもの頃に親から受けたしつけについて話す	指導、しつけ、勉強、させられたこと、できるようになったこと	• 使役受身表現 • ～なりました（状態・能力・習慣の変化）
Unit 23 p.91	**Miserable Experiences** ひどい経験	□大変な思いをした経験について話す	ひどい経験、残念だったこと、がっかりしたこと、疲れたこと	• 受身表現②（他者からの物理的な行為を受ける） • ～てしまう • ～(する)と①（時）
Unit 24 p.99	**Geography, Linguistics, and Climate** 言語・地理・気候	□自分の国のことについて話す	言語の成り立ち、言語の使用状況、地理、気候	• 受身表現③（物が主語の受身） • ～(する)と②（条件）
Supplementary Unit p.107	**Towards the Future** 新しい世界	□新しく挑戦することへのきっかけ	心配、勧誘、挑戦、サークル活動、中学・高校の勉強、大学の勉強、大学生活で経験すること	• ～(れ)ば • ～ればいいか

Appendix

Table 1. い形容詞（=い-Adjectives）e.g. 高い本、高くて p.122

Table 2. な形容詞（=な-Adjectives）e.g. 親切な人、親切で p.123

Table 3. Inflectional verbs（=Group I verbs, *u*-verbs）and their inflections p.124

Table 4. Stem verbs（=Group II verbs, *ru*-verbs） p.125

Table 5. Irregular verbs（=Group III verbs）and their inflections p.125

■ Vocabulary....p.127　■ INDEX....p.134　■ INDEX OF GRAMMAR....p.160

■著者紹介 p.168

The Gist of Japanese Grammar

Unit 13 p.7
(1) ～たら① vs. ～てから
(2) ～たら②
(3) ～ながら

Unit 14 p.17
(1) The Dictionary Form of the Verb
(2) こと vs. の

Unit 15 p.25
(1) Noun-modifying Clause
(2) (まだ)～ていません
(3) ～たいと思っています

Unit 16 p.34
(1) Potential Form of the Verb
(2) ～(する)前
(3) ～なので
(4) ので vs. から
(5) ～(する)ようになりました
(6) How to Combine an Adjective to と思います

Unit 17 p.43
(1) あげる, もらう and くれる
(2) さしあげる, いただく and くださる
(3) どれも vs. みんな

Unit 18 p.54
(1)「～に～てもらいました」or「～から～てもらいました」
(2) ～てくれました and ～てあげました
(3) 親切に教えてくれました

Unit 19 p.63
(1) そうです① vs. そうです②
(2) そうです① vs. らしいです
(3) ～てみる

Unit 20 p.71
(1) Passive Expressions
(2) ～ように言われました

Unit 21 p.81
(1) Causative Expression
(2) ～(さ)せてくれました and ～(さ)せてくれませんでした
(3) ～(さ)せようとしました
(4) ～てほしいです and ～てほしいと思っています
(5) 何でも vs. 何も

Unit 22 p.89
(1) Causative-Passive Expression
(2) Expressions about Changes of State / Ability / Customs / Practices

Unit 23 p.97
(1) ～に: indicating the source / cause of suffering in question within passive expression
(2) ～てしまいました
(3) ～(する)と①
(4) ～ようです
(5) ～(する)ことになりました

Unit 24 p.105
(1) ～(する)と②
(2) ～が一番～

Supplementary Unit p.117
(1) Conditional Expressions : ～れば, ～たら and ～と
(2) ～てあります
(3) ～ておきます
(4) ～よ and ～ね
(5) 何か－何も, 誰か－誰も, 誰かに－誰にも and どこかに－どこにも
(6) ～すぎる
(7) ～んです or ～のです
(8) ～なさい
(9) ～ようと思います
(10) ～ようとしても
(11) ～わけではありません
(12) ～始める, ～続ける and ～終わる

『NEJ [vol.2]』の構成

本冊

■ Unit 13 ～ Unit 24

- **Section 1** Personal Narratives ［マスターテクスト］
- **Section 2** Summary of the Main Grammar Points
- ○ The Gist of Japanese Grammar
- ○ Essay Writing

■ Supplementary Unit

- **Section 1** Personal Narratives ［マスターテクスト］
- **Section 2** Summary of the Main Grammar Points
- ○ The Gist of Japanese Grammar

■ Appendix　Table1～Table5：Adjective and verb inflections
形容詞と動詞の活用表

別冊

■ Review of the Basic Kanji
■ Writing Practice Sheets（※ Unit 13 から Unit 24 までの書き方練習シート）
■ Grammar Practice Sheets（※ Unit 13 から Unit 24 までの文法練習シート）

音声

■ 音声(おんせい)は、以下(いか)のWEBサイトよりダウンロードしてください。
Please download the sound files from the website which correspond to the sound file serial number.

no.00

http://nej.9640.jp

『NEJ』シリーズ関連書籍

■『NEJ：A New Approach to Elementary Japanese [vol.1]』

■『NEJ：指導参考書』（音声 CD、イラスト集 CD-R 付き）

○本書を用いての詳しい指導方法は、『指導参考書』(別売り)をご参照ください。
○『指導参考書』には、本書の音声 CD が付属されています。
○『指導参考書』には、本書のイラスト集が CD-R で付属されています。

『NEJ』の特長

ＮＥＪの特長

□ 自己表現活動

『NEJ：A New Approach to Elementary Japanese ― テーマで学ぶ基礎日本語』（以下『NEJ』）は、留学生や一般成人を対象とした、自己表現活動中心の基礎（初級）日本語教科書です。「自己表現活動中心の」というのは、目次を見ればわかるように、各ユニットでそれぞれのテーマについて自分のことが話せるようになることを目標としてカリキュラムが計画されているということです。

□ マスターテクスト・アプローチ

『NEJ』のもう一つの大きな特長は、独自のマスターテクスト・アプローチを採用していることです。『NEJ』では主に３人の人物、具体的には、リさん（大学１年生（留学生））、あきおさん（大学４年生）、西山先生（教師）が登場します。各ユニットでは自己表現活動に関するテーマが設定されていて、Section 1でこれらの登場人物がそのテーマについて自分の話をします。これが各ユニットの**Section 1のPersonal Narrativesで、それをマスターテクストと呼びます**。学習者はこのマスターテクストを勉強し、それをモデルにして話し方を練習することで自分の話ができるようになります。マスターテクストには、学習者がユニットのテーマについて話すためにほぼ十分な語彙と表現法が盛り込まれています。

『NEJ』は、上記のように自己表現活動中心に編まれながら、同時に24のユニット（vol. 1, vol. 2）を通して、文型・文法事項を系統的に、語彙を体系的に学習できるように作成されています。『NEJ』で日本語を学習することで、さまざまな自己表現活動ができるようになるだけでなく、日本語の基礎力も着実に身につけることができます。

以下では、『NEJ』のユニットを構成しているいろいろなコンポーネントを紹介します。その中で、その他の特長を説明します。

各セクションの活動について

▶ Personal Narratives［マスターテクスト］：Section 1

ユニットのテーマについて登場人物たちが話す、学習の核となるテクスト（マスターテクスト）です。明瞭でスムーズに言えるようになるまでしっかり練習してください。また、教室での質疑応答、練習のときも、参照してください。

▶ Summary of the Main Grammar Points：Section 2

そのユニットの主要文法事項が使用されている、Section 1のマスターテクストの中の文をすべてリストアップしています。家庭学習では、各文の理解を確認してください。授業では、順に音読させた後に、質問－答えにより理解を確かめてください。

▶ Additional Grammar Points

各ユニットのとびらページに、Section 1のマスターテクストで新たに使用されている追加的文法事項(additional grammar points)を挙げています。追加的文法事項は本文内の注釈などの説明により意味がわかり、マスターテクストに習熟しさえすれば、習得できる事項ですので、授業で取り立てて指導する必要はないでしょう。

▶ The Gist of Japanese Grammar

重要な文法事項について、学習者に有益な知識に絞って簡潔に説明しています。GJG(the gist of Japanese grammarの略)で文法説明を受けることで、学習者は納得して安心して口頭練習などに集中することができます。

▶ Essay Writing

ユニットの学習の帰着点となるのが、エッセイを書くことです。学習したマスターテクストをモデルにして、そこから語や表現法を「盗み取って」エッセイを書くように指導してください。
※Supplementary Unitでは、Essay Writingはありません。

▶ Supplementary Unit

NEJの全24ユニットで基礎日本語の学習は終了です。一方で、一般的な初級日本語課程ではその他のやや進んだ文型・文法事項がしばしば教えられます。そのような文型・文法事項をカバーするために、Unit 24に続いてSupplementary Unitを設けました。Supplementary Unitではそのような内容を扱っていますので、各プログラムの必要に応じて活用してください。

凡　例［Section 1 Personal Narratives］

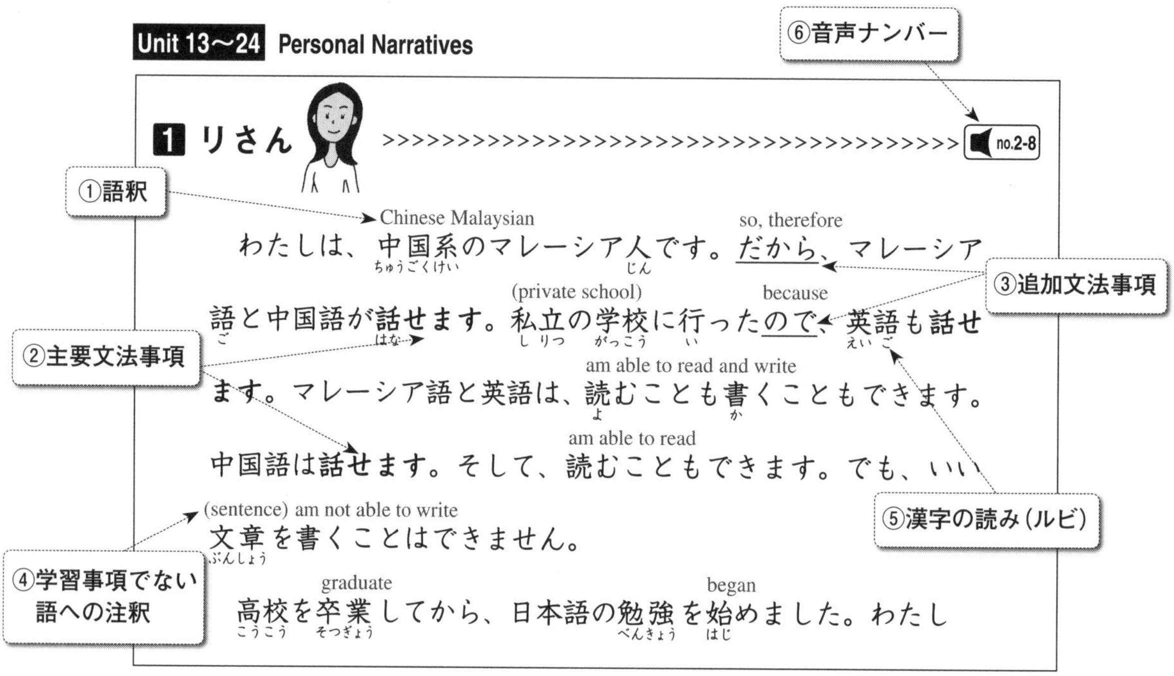

①語釈

新出の語や表現には、語釈を付けました。既出の語でも、まだ習熟していないかもしれないものには、語釈を付けました。

②主要文法事項(=Main Grammar Points)

ユニットの主要文法事項の部分は、太字にしています。

③追加文法事項(=Additional Grammar Points)

ユニット学習の主要目標とはしないが、重要で有用な文法事項を下線で示しました。

④学習事項でない語への注釈

Personal Narrativesでは、一部学習事項でない語を使用しています。それらの語については、(　)で語釈を付けています。

⑤漢字の読み(ルビ)

すべての漢字語について、1つのPersonal Narrativesで初出時にひらがなで読みを振っています。ユニット7(vol.1)以降では、「日本」「日本人」「日本語」には読みを振っていません。

⑥音声ナンバー

音声はナンバーに従ってWEBサイトから ダウンロードしてください。→http://nej.9640.jp

■パラレルテキスト

1 りさん  no.2-8

わたしは、中国系のマレーシア人です。<u>だから</u>、マレーシア語と中国語が話せます。私立(private school)の学校に行った<u>ので</u>、英語も話せます。マレーシア語と英語は、読むことも書くこともできます。中国語は話せます。そして、読むこともできます。でも、いい文章(sentence)を書くことはできません。

高校を卒業してから、日本語の勉強を始めました。わたしは中国系な<u>ので</u>、漢字の意味はだいたいわかります。漢字の<u>書き方</u>も、わかります。<u>ですから</u>、日本語の勉強は、あまりたいへんではありませんでした。今は、日本語が話せますし、学校の本も読めます。でも、レポートなどは、まだうまく書けません。漢字の<u>読み方</u>も、時々わかりません。

わたしは、中国系(ちゅうごくけい)(Chinese Malaysian)のマレーシア人(じん)です。<u>だから</u>(so, therefore)、マレーシア語(ご)と中国語が話(はな)せます。私立(しりつ)(private school)の学校(がっこう)に行(い)った<u>ので</u>(because)、英語(えいご)も話せます。マレーシア語と英語は、読(よ)むことも書(か)くこともできます(am able to read and write)。中国語は話せます。そして、読むこともできます(am able to read)。でも、いい文章(ぶんしょう)(sentence)を書くことはできません(am not able to write)。

高校(こうこう)を卒業(そつぎょう)(graduate)してから、日本語の勉強(べんきょう)を始(はじ)めました(began)。わたしは中国系な<u>ので</u>(because)、漢字(かんじ)の意味(いみ)(meaning)はだいたい(for the most part)分(わ)かります。漢字の<u>書き方</u>(かた)(writing, how to write)も、分かります。<u>ですから</u>(so, there)、日本語の勉強は、あまりたいへんではありませんでした。今(いま)は、日本語が話せますし(and also)、学校の本(ほん)も読めます。でも、レポートなど(etc., and so forth)は、まだうまく書けません(write well)。漢字の<u>読み方</u>(reading)も、時々(ときどき)分かりません。

Section 1のPersonal Narrativesは、パラレルテキストになっています。つまり、ルビや語釈などの補助付きテクストが右ページに、補助なしのプレーンテクストが左ページに提示されています。学習者は習得状況に応じて左右のページを使い分けることができます。

Explanatory Notes [Section 1 Personal Narratives]

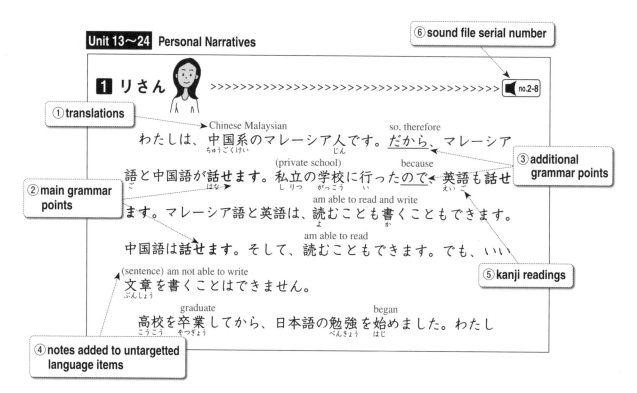

Unit 13～24 Personal Narratives

⑥ sound file serial number

1 りさん  >>>>>>>>>>>>>>>>>>>>>>>>>>>>>>>>>>>>>>> no.2-8

① translations

わたしは、中国系(ちゅうごくけい)(Chinese Malaysian)のマレーシア人(じん)です。だから(so, therefore)、マレーシア語(ご)と中国語が**話(はな)せます**。私立(しりつ)の学校(がっこう)(private school)に行(い)ったので(because)、英語(えいご)も**話せます**。マレーシア語と英語は、**読(よ)むことも書(か)くこともできます**(am able to read and write)。中国語は**話せます**。そして、**読むこともできます**(am able to read)。でも、いい文章(ぶんしょう)(sentence)を**書くことはできません**(am not able to write)。

高校(こうこう)を卒業(そつぎょう)(graduate)してから、日本語の勉強(べんきょう)を始(はじ)め(began)ました。わたし

② main grammar points

③ additional grammar points

④ notes added to untargetted language items

⑤ kanji readings

① translations

Newly-appearing words and phrases are provided with a translation. Words and phrases that have already appeared in the text but might have not been learned are also given with translations.

② main grammar points

The main grammar points of the unit are written in bold faced font.

③ additional grammar points

Underlined parts are additional grammar points. Not being the targets of study in the unit, they are useful expressions to be noted.

④ notes added to untargetted language items

Some untargetted language items are included in the Personal Narratives. These words and phrases are provided with translations written in parentheses.

⑤ kanji readings

A reading in *hiragana* is added to every kanji-word as of when it first appears in a Personal Narrative. However,「日本」,「日本人」and「日本語」readings are not included after Unit7(vol.1).

⑥ sound file serial number

Please download the sound files from the website which correspond to the sound file serial number. →http://nej.9640.jp

■ Parallel text

1 リさん  >> no.2-8

わたしは、中国系のマレーシア人です。だから、マレーシア語と中国語が話せます。私立(private school)の学校に行ったので、英語も話せます。マレーシア語と英語は、読むことも書くこともできます。中国語は話せます。そして、読むこともできます。でも、いい文章(sentence)を書くことはできません。

高校を卒業してから、日本語の勉強を始めました。わたしは中国系なので、漢字の意味はだいたいわかります。漢字の書き方も、わかります。ですから、日本語の勉強は、あまりたいへんではありませんでした。今は、日本語が話せますし、学校の本も読めます。でも、レポートなどは、まだうまく書けません。漢字の読み方も、時々わかりません。

>>

わたしは、中国系(ちゅうごくけい)[Chinese Malaysian]のマレーシア人(じん)です。だから[so, therefore]、マレーシア語(ご)と中国語が話(はな)せます。私立(しりつ)[(private school)]の学校(がっこう)に行(い)ったので[because]、英語(えいご)も話せます。マレーシア語と英語は、読(よ)むことも書(か)くこともできます[am able to read and write]。中国語は話せます。そして、読むこともできます[am able to read]。でも、いい文章(ぶんしょう)[(sentence)]を書くことはできません[am not able to write]。

高校(こうこう)を卒業(そつぎょう)[graduate]してから、日本語の勉強(べんきょう)を始(はじ)めました[began]。わたしは中国系なので[because]、漢字(かんじ)の意味(いみ)[meaning]はだいたい[for the most part]分(わ)かります。漢字の書き方(かた)[writing, how to write]も、分かります。ですから[so, there]、日本語の勉強は、あまりたいへんではありませんでした。今(いま)は、日本語が話せますし[and also]、学校の本(ほん)も読めます。でも、レポートなど[etc., and so forth]は、まだうまく書けません[write well]。漢字の読み方[reading]も、時々(ときどき)分かりません。

Personal Narratives are presented in parallel form; while the right page presents the text with Kanji readings and notes, the left page simply presents 'plain' text. Learners may use either text as they deepen their understanding of the text.

学習者のみなさんへ

革新的な教科書『NEJ』で日本語を学ぶ

『NEJ：A New Approach to Elementary Japanese — テーマで学ぶ基礎日本語』は、テーマ中心の言語教育(theme-based language instruction)を基礎日本語教育に応用した教科書です。言語の知識は異なる２つの観点から見ることができます。言語をコード(符合)のシステムとして見る見方と、言語を言語活動のプロトタイプの集合として見る見方です。従来の基礎(初級)日本語教科書は前者の観点に基づいて作成されています。そのような学習法では各課の学習が終わっても日本語を使って何かができるようになることはあまり期待できませんでした。それに対し、『NEJ』は後者の観点を採用しています。『NEJ』で日本語を勉強すれば、各ユニットで「日本語でこれができるようになった」という達成感を得ながら日本語を学習することができます。そして同時に、日本語のシステムを系統的に学ぶことができ、また語彙も体系的に習得することができるように作成されています。

『NEJ』の内容はCEFR（Common European Framework of Reference）のＡ２に対応しています。つまり、第１巻がＡ２.１に、そして第２巻がＡ２.２にそれぞれ対応しています。

『NEJ』の特長

□ マスターテクスト・アプローチ

学習すべきすべての文型・文法事項と語彙は、各ユニットのSection １(Personal Narratives)のマスターテクストに含まれています。(ただし、Unit１からUnit６のSection ２(Questions & Answers)で出てくる質問の言い方のみは例外となります。)マスターテクストは、本章で登場する３人の登場人物(リさん、あきおさん、西山先生の３人)による各ユニットのテーマについての「わたしの話」(personal narratives)です。学習者がするべきことは主に２つです。一つは、**マスターテクストをしっかりと理解して習熟することとマスターテクストについて質疑応答ができるようになることです。**そして、今一つは、**マスターテクストをモデルにしてそれをまねて自分の話を書くこととその書いたものに習熟することです。**この教科書では他にもいろいろな学習材料が提示されていますが、上の２つのことが『NEJ』での日本語学習の核となります。

□ ローマ字表記、英訳、語釈・文法注釈、ルビ(漢字の読み方)

Unit１からUnit４(vol.1)ではマスターテクストのローマ字表記を、さらにUnit１とUnit２(vol.1)では英語訳を提示しています。Unit３(vol.1)以降では詳しい語釈と文法注釈がマスターテクストに付されています。また、Unit８(vol.1)から最後のSupplementary Unit(vol.２)までは、注釈などがついたページとそれらがないページが左右パラレルに提示されています。ルビ(漢字の読み方)も、各テクストでの初出時に、語の下に示しています。

□ 主要文法事項を含む例文の提示と豊富なイラスト

第１巻でのUseful Expressionsに代わるSummary of Main Grammar Points(Section２)では、そのユニットの主要文法事項が使用されている、Section １のマスターテクストの中の文がすべてリストアップされています。また、大部分の例文にはイラストがついています。

□ The Gist of Japanese Grammar（日本語文法の要点）

重要な文法事項は、各ユニットの四角囲みになっているコラム「The Gist of Japanese Grammar」（略してGJG）で解説しています。GJGでは、説明は最小限にとどめていますが、それぞれの文法事項の要点がよく理解できるようにしています。しかしながら、説明というのは単に文法知識を与えるだけのことです。文法知識を了解した上で、マスターテクストで実現されているような実際の使用のコンテクストの中でさまざまな言語事項を学習することが絶対的に重要です。

□ ひらがなとカタカナと漢字の学習

別冊で、ひらがなとカタカナと漢字を学習します。本書では、ひらがなとカタカナと300字の漢字（第1巻で130字、第2巻で170字）を勉強します。

□ Supplementary Unit（補足ユニット）

従来の初級日本語プログラムでは、その他のやや進んだ文法事項がしばしば扱われます。そのような文法事項をカバーするためにSupplementary Unitを設けました。Supplementary Unitは必要に応じて勉強してください。

□ 音声

音声は音声番号に従って、WEBサイトよりダウンロードしてください。

no.00 → http://nej.9640.jp

本書での勉強の進め方

□ 各ユニットの勉強法

各ユニットの学習の中心は以下の２点です。

（1）マスターテクストをしっかりと理解して覚えることとマスターテクストについて質疑応答ができるようになること

（2）マスターテクストをモデルにしてそれをまねて自分の話を書くこととその書いたものをスラスラ言えるようになること

音声を聞きながらSection 1の勉強から始めてください。音声をよく聞いて、リさんやあきおさんや他の登場人物がPersonal Narrativesで何を話しているか理解してください。理解の際にはイラスト、ふりがな、語釈や文法注釈などの補助を参照してください。そして、Section 1を勉強するときに、GJGも勉強してください。そして、それ以降のSectionを ➤ の指示に従って勉強してください。

For the Learners

Learning Japanese with this Innovative Textbook

NEJ : A New Approach to Elementary Japanese is an application of theme-based instruction in elementary Japanese. Knowledge of language may be seen in two different perspectives, i.e. firstly, language as a system of codes, and secondly, language as prototypes of language activities. Traditional elementary Japanese language textbooks adopt the former perspective. Learning Japanese in this way may not enable you to do anything with the language at the end of each lesson. NEJ adopts the latter perspective on language. By learning Japanese with NEJ you will be able to learn Japanese with a distinct sense of being able to do something or other using the language by the end of each unit. Also, at the same time, NEJ is designed and written in a way that will allow you to be able to both grasp the system of the Japanese language and acquire vocabulary systematically.

The contents of NEJ corresponds to A2 in CEFR (Common European Framework of Reference), with NEJ vol.1 corresponding to A2.1 and NEJ vol.2 to A2.2 respectively.

Special Features of NEJ

☐ Mastertext Approach

All the structures and grammar points, and also the vocabulary items to be learned are included in the mastertext of Section 1(Personal Narratives) in each unit, with the exception of the interrogative expressions appearing in the conversational exchanges in Section 2(Useful Expressions) of unit 1 to unit 6. The mastertexts are personal narratives of three characters who appear through the textbook, namely Li-*san*, Akio-*san* and Nishiyama-*sensee,* on the theme of each unit. Students are expected to do two main things. One is **to understand and learn the mastertext thoroughly, and also to be able to handle questions and answers concerning the text**. The other thing is **to write up your own narrative using the mastertexts as models, and learn to be able to use it**. Although other materials are provided in the textbook, these two goals forms the core of study with NEJ.

☐ Provision of Romanization, English Translation, Notes, and Kanji-word Readings.

A romanization of the mastertext in unit 1 to unit 4 and an English translation in unit 1 and unit 2 is provided. Starting from unit 3, careful notes on grammar and vocabulary are added to the text. Both annotated and plain text are presented in parallel form from unit 8 through the last unit. Readings of kanji-words are added below the word when the kanji-word first appears in each text.

☐ Summary of the main grammar points and abundant illustrations

Instead of Useful Expressions as appeared in the vol.1, a Summary of the Main Grammar Points have been included. All the sentences in the mastertexts that have been constructed using the main grammatical structures are listed in this section. Also, many of them are accompanied with relevant illustrations.

☐ The Gist of Japanese Grammar

Important grammar points are explained in 'The Gist of Japanese Grammar' squared column, which appears in each unit. Though the explanation is kept to a minimum, you will get the gist of each grammar point. However, remember that explanations merely allow you to know the grammatical facts. Beyond these grammatical facts, you will always be expected to learn language items in their context of use as exemlpified in the mastertexts.

☐ Learning *Hiragana, Katakana* and Kanji

Materials to practice and learn *hiragana*, *katakana* and kanji are also provided in the attached booklet of the textbook. You are going to learn all the *hiragana* and *katakana* and three hundred basic kanji in this textbook (vol.1 : 130, vol.2 : 170).

☐ Supplementary Unit

Some other slightly advanced grammar items are often included in conventional elementary Japanese programs. A Supplementary Unit is provided in order to cover these items. Please study this unit as appropriate.

☐ Audio material

Please download the sound files from the website which correspond to the sound file serial number.

no.00 → **http://nej.9640.jp**

How to Proceed with the Textbook

☐ How to Proceed with each unit

The focus of learning in each unit should be placed on:

(1) Understanding and learning the mastertext thoroughly, and also to be able to handle questions and answers concerning the text,

(2) Writing up your own narrative using the mastertexts as models, and to learn to be able to use the text.

Please start studying with Section 1 while listening to the audio materials. Listen to the audio materials and understand what Li-*san*, Akio-*san* and other characters are talking about in the personal narratives. Please refer to the illustrations, kanji-words readings, vocabulary & grammar notes, and other aides when you study the text. Also, study 'The Gist of Japanese Grammar', as you study Section 1. Continue studying with the following sections, marked with ➢.

授業の流れ

授業の流れは以下のようになります。

1 マスターテクストの朗唱練習をする Section 1 Personal Narratives

↓

2 マスターテクストの質疑応答練習をする Section 1 Personal Narratives

①マスターテクストの質疑応答練習をする。

②マスターテクストと同様の内容について学習者に当てはめた質問－答えの練習をする。

③マスターテクストについて学習者同士で質疑応答練習をする。

↓

3 文法を中心としてマスターテクストの復習をする、漢字の学習をする

別冊 文法練習シート(Grammar Practice Sheets)

別冊 書き方練習シート(Writing Practice Sheets)

↓

4 マスターテクストを参考にしてエッセイ(作文)を書く→発表する

このように、各ユニットの学習はユニットのテーマについて各自が自分のことを書いて発表することに帰着するようになっています。学習者がマスターテクストをモデルにして自分のエッセイが書けて、それをクラスメートなどにスラスラと言えるようになれば、そのユニットでの学習は「合格」です。

The Characters Appearing in the Textbook

Li-*san* : A Malaysian student of Daikyo University. Li-*san* came to Japan this April to study engineering. Her family live in Malaysia. She has two brothers and two sisters. She is an independent young woman and works very hard, which can sometimes cause her trouble.

Akio-*san* : A student of Daikyo University. Akio-*san* is a senior student in the faculty of engineering. He likes to climb mountains and is the captain of the climbing team of the university. He is a cheerful and kind person, and the members of the climbing team love and respect him.

Nishiyama-*sensee* :

A professor in Japanese language pedagogy at Daikyo University. Nishiyama-*sensee* likes to teach Japanese and also studies linguistics. He is married and has two children. His wife is also a professor specialising in Japanese studies.

Unit 13

My Daily Life

毎日(まいにち)の生活(せいかつ)

Theme

☐ **Talking about one's daily life**

Main Grammar Points

☐ **〜たら**① 〈When 〜, (immediately 〜).〉：起(お)き**たら**、すぐに歯(は)をみがきます。

☐ **〜てから** 〈After 〜〉：少(すこ)し勉強(べんきょう)し**てから**、うちに帰(かえ)ります。

☐ **〜たら**② 〈When / If 〜〉：10 時(じ)に学校(がっこう)を出(で)**たら**、12 時にうちに着(つ)きます。

☐ **〜とき** 〈When 〜〉：5 時間目(じかんめ)の授業(じゅぎょう)がある**とき**は、図書館(としょかん)に行(い)きません。

☐ **〜ながら** 〈While 〜〉：新聞(しんぶん)を読(よ)み**ながら**、朝(あさ)ごはんを食(た)べます。

Additional Grammar Points

☐ 〜て 〈〜, and 〜〉：図書館(としょかん)に行(い)っ<u>て</u>、少(すこ)し勉強(べんきょう)します。

☐ 〜だけ 〈only 〜〉：授業(じゅぎょう)は、たいてい、午前中(ごぜんちゅう)<u>だけ</u>です。

Section 1

Personal Narratives

➤ Study and practice saying the text aloud while listening to the audio. Also, practice questioning and answering using the text.

1 リさん

no.2-1

わたしは、毎朝、7時半に起きます。起き**たら**、すぐに歯をみがきます。夏には、シャワーをします。そして、朝ごはんを食べます。新聞を読み**ながら**、朝ごはんを食べます。ごはんを食べ**てから**、もう一度歯をみがきます。8時半にうちを出ます。そして、自転車で学校に行きます。学校まで、10分くらいです。近いです。

授業は、8時50分に始まります。そして、たいてい4時10分に終わります。たいてい、図書館に行って、少し勉強し**てから**、うちに帰ります。時々、5時間目の授業があります。5時間目がある**とき**は、図書館に行きません。

夏は、6時ごろでも、まだ明るいですが、冬は、6時には、もう暗いです。暗い夜の道は、ちょっとこわいです。

うちに帰っ**たら**、すぐに手を洗って、うがいをします。そして、晩ごはんを作って、食べます。友だちと話をし**ながら**、晩ごはんを食べます。晩ごはんが終わっ**たら**、メールをチェックします。それから、お風呂に入ります。お風呂の後、2時間くらい勉強します。そして、12時ごろに寝ます。

>>

every morning / when I get up / immediately / brush / my teeth

わたしは、毎朝(まいあさ)、7時半(じはん)に起(お)きます。起きたら、すぐに歯(は)をみがきます。夏(なつ)には、シャワーをします。そして、朝ごはんを食(た)べます。

while reading a newspaper / after eating breakfast

新聞(しんぶん)を読(よ)みながら、朝ごはんを食べます。ごはんを食べてから、もう一度(いちど)歯をみがきます。8時半にうちを出(で)ます。そして、自転車(じてんしゃ)で学校(がっこう)に行(い)きます。学校まで、10分(ぷん)くらいです。

It's close.

近(ちか)いです。

I go to the library and / after studying for a while / class in the fifth period / when I have / a class in the fifth period

授業(じゅぎょう)は、8時50分に始(はじ)まります。そして、たいてい4(よ)時10分に終(お)わります。たいてい、図書館(としょかん)に行って、少(すこ)し勉強(べんきょう)してから、うちに帰(かえ)ります。時々(ときどき)、5時間目(じかんめ)の授業があります。5時間目があるときは、図書館に行きません。

still / light / already dark / I am afraid

夏は、6時ごろでも、まだ明(あか)るいですが、冬(ふゆ)は、6時には、もう暗(くら)いです。暗い夜(よる)の道(みち)は、ちょっとこわいです。

when I get home / gargle / while talking with my friends / when I finish eating dinner / after taking a bath

うちに帰ったら、すぐに手(て)を洗(あら)って、うがいをします。そして、晩(ばん)ごはんを作(つく)って、食べます。友(とも)だちと話(はなし)をしながら、晩ごはんを食べます。晩ごはんが終わったら、メールをチェックします。それから、お風呂(ふろ)に入(はい)ります。お風呂の後(あと)、2時間くらい勉強します。そして、12時ごろに寝(ね)ます。

2 あきおさん

no.2-2

朝は、たいてい7時に起きます。そして、テレビでニュースを見**ながら**、朝ごはんを食べます。朝ごはんが終わっ**たら**、歯をみがきます。そして、8時に学校に行きます。1時間目の授業がない**とき**は、8時に起きます。そして、9時ごろ、うちを出ます。学校まで、電車で行きます。40分くらいです。

授業は、たいてい、午前中だけです。午後は、研究室に行って、実験をしたり、発表の準備をしたりします。時々、10時ごろまで、実験をします。徹夜することも、あります。10時に学校を出**たら**、12時ごろにうちに着きます。そんなときは、1時か2時に、寝ます。ちょっと、遅いです。

while watching the news on TV
朝(あさ)は、たいてい７時(じ)に起(お)きます。そして、テレビでニュース

when I finish eating breakfast
を見(み)ながら、朝ごはんを食(た)べます。朝ごはんが終(お)わったら、歯(は)

when I have no class
をみがきます。そして、８時に学校(がっこう)に行(い)きます。１時間目(じかんめ)の授(じゅ)

in the first period
業(ぎょう)がないときは、８時に起きます。そして、９時ごろ、うちを

出(で)ます。学校まで、電車(でんしゃ)で行きます。40分(ぷん)くらいです。

only
授業は、たいてい、午前中(ごぜんちゅう)だけです。午後(ごご)は、研究室(けんきゅうしつ)に行っ

experiment / preparation for the presentation
て、実験(じっけん)をしたり、発表(はっぴょう)の準備(じゅんび)をしたりします。時々(ときどき)、10時

stay up all night / when I leave
ごろまで、実験をします。徹夜(てつや)することも、あります。10時に

school at ten o'clock / get home / in this case
学校を出(で)たら、12時ごろにうちに着(つ)きます。そんなときは、１

late
時か２時に、寝(ね)ます。ちょっと、遅(おそ)いです。

Section 2 Summary of the Main Grammar Points

➢ Study the expressions while refering back to the narratives in Section 1.

(1) ～たら①

1. 起きたら、すぐに歯をみがきます。
2. うちに帰ったら、すぐに手を洗って、うがいをします。
3. 晩ごはんが終わったら、メールをチェックします。
4. 朝ごはんが終わったら、歯をみがきます。

(2) ～てから

1. 図書館に行って、少し勉強してから、うちに帰ります。
2. ごはんを食べてから、もう一度歯をみがきます。

(3) ～たら②

1. 10時に学校を出たら、12時ごろにうちに着きます。

(4) ～とき

1. 5時間目があるときは、図書館に行きません。
2. 1時間目の授業がないときは、8時に起きます。

(5) ～ながら

1. 新聞を読みながら、朝ごはんを食べます。
2. 友だちと話をしながら、晩ごはんを食べます。
3. テレビでニュースを見ながら、朝ごはんを食べます。

The Gist of Japanese Grammar

(1) ～たら① vs. ～てから

While **～てから** genuinely means '**after ～**', **～たら** means '**when one ～, one immediately ～**'. Study and compare the examples:

1. 起き**たら**、すぐに歯をみがきます。(p.2, l.1-2)
2. ごはんを食べ**てから**、もう一度歯をみがきます。(p.2, l.3-4)

(2) ～たら②

～たら as in '10時に学校を出たら、12時ごろにうちに着きます。' may be translated as '**when ～**' or '**if ～**'. ～たら can also be used as follows: 'いい人があらわれたら、結婚したいです。(If I happen to come across a person I really love, I want to get married.)', this is to be studied further in Unit 15.

(3) ～ながら

～ながら indicates simultaneous action as in '新聞を読みながら、朝ごはんを食べます。'. Please don't say '×わたしがテレビを見ながら、妻は本を読んでいました。(While I watched television, my wife was reading a book.)'. You should say 'わたしがテレビを見ている間、妻は本を読んでいました。' instead.

Essay Writing

➤Write your own personal narrative using the texts in Section 1 as models.

Unit 14

My Recreation

わたしの楽しみ

Theme

☐ **Talking about how one enjoys his/her leisure time**

Main Grammar Points

☐ **The Dictionary form of the verb**（See row Ⅲ of tables 3-5 in the Appendix）

ex. **本を読む**のが大好きです。
趣味は、**写真をとる**ことです。

☐ **Nominalization of the verb：dictionary form ＋の、dictionary form ＋こと**

ex. わたしは、**本を読むの**が大好きです。
わたしの趣味は、**写真をとること**です。

Additional Grammar Points

☐ それで〈therefore, and so〉：それで、わたしも写真を始めました。

Section 1

Personal Narratives

➢ Study and practice saying the text aloud while listening to the audio. Also, practice questioning and answering using the text.

1 リさん

>>>>>>>>>>>>>>>>>>>>>>>>>>>>>>>>>>>>>> no.2-3

わたしは、**本を読むの**が大好きです。子どものときは、いつもうちで本を読んでいました。弟は、**本を読むの**はあまり好きではありません。**マンガを読むの**は大好きです。弟の趣味は、**マンガを読むこと**と、**サッカーをすること**です。

わたしは、**音楽を聞くの**も好きです。姉も、**音楽を聞くの**が大好きです。姉もわたしも、Ｊポップが好きです。

子どものときは、**日本のアニメを見るの**が大好きでした。姉といっしょによくアニメ映画を見に行きました。うちで、アニメのＤＶＤもよく見ました。テレビで、日本のドラマも見ました。

>>

わたしは、**本(ほん)を読(よ)むの**(to read books)が大好(だいす)きです。子(こ)どものときは、いつもうちで本を読んでいました。弟(おとうと)は、**本を読むの**はあまり好きではありません。**マンガを読むの**(to read comics)は大好きです。弟の趣味(しゅみ)(hobby)は、**マンガを読むこと**と、**サッカーをすること**(to play soccer)です。

わたしは、**音楽(おんがく)を聞(き)くの**(to listen to the music)も好きです。姉(あね)も、**音楽を聞くの**が大好きです。姉もわたしも、J(ジェイ)ポップ(J-pop)が好きです。

子どものときは、**日本のアニメを見(み)るの**(to watch Japanese animation)が大好きでした。姉といっしょによくアニメ映画(えいが)を見に行(い)きました。うちで、アニメのDVD(ディーブイディー)もよく見ました。テレビで、日本のドラマも見ました。

2 あきおさん

>>>>>>>>>>>>>>>>>>>>>>>>>>>>>>>>>>>>>> no.2-4

わたしの趣味は、**山に登ること**と、**写真をとること**です。父も母も、山登りが大好きです。父と母は、大学の山の会で会いました。そして、結婚しました。

子どものときは、家族でよく山に行きました。父は、**写真をとるの**が好きでした。山で、山や花の写真をとりました。父の写真は、とてもきれいでした。それで、わたしも、写真を始めました。父は、**風景**(landscape)**をとるの**が好きです。わたしは、**風景をとるの**も、**人をとるの**も、好きです。もう10年写真をとっていますが、**いい写真をとるの**は、なかなかむずかしいです。

>>>

　わたしの趣味(しゅみ)[hobby]は、**山(やま)に登(のぼ)ること**[to climb mountains]と、**写真(しゃしん)をとること**[to take pictures]です。父(ちち)も母(はは)も、山登りが大好(だいす)きです。父と母は、大学(だいがく)の山の会(かい)[climbing team]で会(あ)いました。そして、結婚(けっこん)しました。

　子(こ)どものときは、家族(かぞく)でよく山に行(い)きました。父は、**写真をとるの**が好きでした。山で、山や花(はな)の写真をとりました。父の写真は、とてもきれいでした。それで[therefore, and so]、わたしも、写真を始(はじ)めました[began to take pictures]。父は、**風景(ふうけい)[(landscape)]をとるの**が好きです。わたしは、**風景をとるの**も、**人(ひと)をとるの**も、好きです。もう10年(ねん)[already ten years]写真をとっていますが、**いい写真をとるの**は、なかなか[fairly]むずかしいです。

3 西山先生
にしやませんせい

>>>>>>>>>>>>>>>>>>>>>>>>>>>>>>>>>>>>>> no.2-5

わたしの趣味は、**音楽を聞くこと**です。ジャズとクラシックが好きです。妻も、ジャズが好きです。金曜日の夜は、妻と二人でジャズを聞きながらワインを飲みます。おいしいワインを飲みながら、いろいろな話をします。時々、ライブハウスにも行きます。**生のジャズを聞くの**は、本当に楽しいです。**クラシックを聞くの**も、好きです。わたしは、モーツァルトが好きです。

子どものときは、ピアノを習っていました。大学生のときは、友だちといっしょにジャズのバンドをしていました。わたしは、ベースをひいていました。友だちといっしょに**好きな曲を演奏するの**は、とても楽しかったです。妻も、**ピアノをひくこと**ができます。時々、いっしょにピアノをひきます。

>>

わたしの趣味(しゅみ)[hobby]は、**音楽(おんがく)を聞(き)くこと**[to listen to the music]です。ジャズ[jazz]とクラシック[classical music]が好(す)きです。妻(つま)も、ジャズが好きです。金曜日(きんようび)の夜(よる)は、妻と二人(ふたり)でジャズを聞きながらワイン[wine]を飲(の)みます。おいしいワインを飲みながら、いろいろな話(はなし)をします。時々(ときどき)、ライブハウス[club with live music]にも行(い)きます。**生(なま)のジャズを聞くの**[to listen to live jazz]は、本当(ほんとう)に楽(たの)しいです。**クラシックを聞くの**も、好きです。わたしは、モーツァルト[Mozart]が好きです。

子(こ)どものときは、ピアノを習(なら)っていました[learned (how to play) the piano]。大学生(だいがくせい)のときは、友(とも)だちといっしょにジャズのバンド[band]をしていました。わたしは、ベースをひいていました[played the bass]。友だちといっしょに**好きな曲(きょく)を演奏(えんそう)するの**[to play our favorite music]は、とても楽しかったです。妻も、**ピアノをひくこと**[is able to play the piano]ができます。時々、いっしょにピアノをひきます。

Section 2

Summary of the Main Grammar Points

➤ Study the expressions while refering back to the narratives in Section 1.

(1) The Dictionary form of the verb

In order to understand how to derive dictionary form from ます-form, please compare row Ⅱ and row Ⅲ of tables 3-5 in the Appendix.

(2) Nominalization of the verb

□ ～の

1. わたしは、**本を読むの**が好きです。
2. 弟は、**本を読むの**はあまり好きではありません。**マンガを読むの**は大好きです。
3. わたしは、**音楽を聞くの**も好きです。
4. 姉も、**音楽を聞くの**が大好きです。

5. 子どものときは、**日本のアニメを見るの**が大好きでした。
6. 父は、**写真をとるの**が好きでした。
7. 父は、**風景をとるの**が好きです。わたしは、**風景をとるの**も、**人をとるの**も、好きです。

8. **いい写真をとるの**は、なかなかむずかしいです。
9. **生のジャズを聞くの**は、本当に楽しいです。
10. **クラシックを聞くの**も、好きです。
11. **友だちといっしょに好きな曲を演奏するの**は、とても楽しかったです。

□ ～こと

1. 弟の趣味は、**マンガを読むこと**と、**サッカーをすること**です。
2. わたしの趣味は、**山に登ること**と、**写真をとること**です。
3. わたしの趣味は、**音楽を聞くこと**です。
4. 妻も、**ピアノをひくこと**ができます。

The Gist of Japanese Grammar

(1) The Dictionary Form of the Verb

Delete ます and change the vowel preceding ます into 'u', and you will get the dictionary form of the inflectional verb. The Dictionary form is the form of the verb that you can find in dictionaries. The formal relations among ない-form, ます-form and dictionary form are shown below.

か -line	さ -line	た -line	ま -line	ら -line	わ -line
ka	sa	ta	ma	ra	wa
書かない	話さない	持たない	読まない	作らない	買わない
↑	↑	↑	↑	↑	↑
書(か)き~~ます~~	話(はな)し~~ます~~	持(も)ち~~ます~~	読(よ)み~~ます~~	作(つく)り~~ます~~	買(か)い~~ます~~
ki	shi (si)	chi (ti)	mi	ri	i (wi)
↓	↓	↓	↓	↓	↓
書く	話す	持つ	読む	作る	買う
ku	su	tsu (tu)	mu	ru	u (wu)

(2) こと vs. の

Though こと and の are very often interchangeable, they are not in all cases. Within this book the following rules are suggested:

Rule 1：Use こと in '**Noun は、〜ことです**' and '〜は、〜ことができます'.

1. わたしの趣味(しゅみ)は、音楽(おんがく)を聞(き)くことです。
2. 妻(つま)は、ピアノをひくことができます。

Rule 2：Use の in '〜は、〜のが〜です' and '〜のは、〜です'.

1. わたしは、音楽を聞くのが好(す)きです。
2. いい写真(しゃしん)をとるのは、むずかしいです。

Essay Writing

➢Write your own personal narrative using the texts in Section 1 as models.

Unit 15

My Future

わたしの将来

Theme

☐ **Talking about one's future**

Main Grammar Points

☐ **〜つもりです**〈I intend to 〜〉：結婚後も、仕事を続ける**つもりです**。

☐ **〜と思います**〈I think 〜〉：大学院で勉強している間は、結婚できない**と思います**。

☐ **Degree of Certainty**

(1) **〜と思います**：大学を卒業したら、大学院に進む**と思います**。

(2) **〜だろうと思います / 〜んじゃないかと思います**：
30 さいになるまでには、結婚する**だろうと思います**。

(3) **〜かもしれません**：博士課程に行く**かもしれません**。

(4) **〜かどうか、(まだ)分かりません**：博士課程に進む**かどうか**まだ**分かりません**。

(5) **〜か〜か、(まだ)決めていません**：マレーシアに帰る**か**、日本で就職する**か**、
まだ**決めていません**。

Additional Grammar Points

☐ Use of plain form in noun-modifying clause

ex. 日本に関係がある仕事をしたいと思っています。
人間とコミュニケーションができるロボットを開発したいと思っています。

☐ 〜がほしいです〈want 〜〉：子どもは、２人くらいほしいです。

☐ 〜までに〈by 〜〉：30 さい(になる)までには、結婚するだろうと思います。

☐ 〜でもいいです〈〜 will be fine〉：マレーシア人でも、日本人でも、中国人でも、いいです。

☐ 〜たら③〈If 〜〉：いい人があらわれたら、結婚したいです。

☐ 〜ている間〈while one is doing 〜〉：大学院で勉強している間は、結婚できないと思います。

☐ 〜後〈after 〜〉：結婚後も、仕事を続けるつもりです。

☐ まだ〜ていません〈have not 〜 yet〉：将来、マレーシアに帰るか、日本で就職するか、
まだ決めていません。

☐ 〜(し)なくてもいいです〈need not to 〜, don't have to 〜〉：
いい人があらわれなかったら、結婚しなくてもいいです。

☐ 〜(し)ないで、〜〈Not 〜, 〜〉：進学しないで、就職するかもしれません。

Personal Narratives

➤ Study and practice saying the text aloud while listening to the audio. Also, practice questioning and answering using the text.

1 リさん

no.2-6

わたしは、今、大京大学工学部の一年生です。専門は、情報工学です。大学を卒業したら、大学院に進む**と思います**。将来は、情報通信の会社で仕事をしたいと思っています。博士課程に進む**かどうか**まだ分かりません。行く**かもしれません**。博士号をとって、大学の先生になるのもいい**と思います**。

将来、マレーシアに帰るか、日本で就職するか、**まだ**決め**ていません**。日本に関係がある仕事をしたいと思っています。エンターテインメント関係の仕事もおもしろい**と思います**。

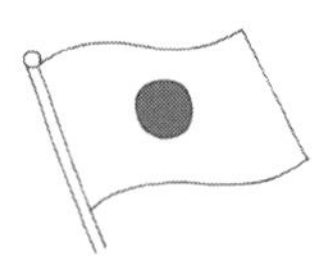

結婚は、したいと思っています。でも、結婚しない**かもしれません**。いい人があらわれたら、結婚したいです。マレーシア人でも、日本人でも、中国人でも、いいです。でも、いい人があらわれなかったら、結婚しなくてもいいです。たぶん、28さいくらいには結婚する**んじゃないかと思います**。結婚後も、仕事を続ける**つもりです**。

>>>

(my) major　information
わたしは、今(いま)、大京大学工学部(だいきょうだいがくこうがくぶ)の一年生(ねんせい)です。専門(せんもん)は、情報(じょうほう)
engineering　graduate　graduate school go on to　I think　in the future
工学です。大学を卒業(そつぎょう)したら、大学院(だいがくいん)に進(すす)むと思(おも)います。将来(しょうらい)
information communication　doctoral course
は、情報通信(つうしん)の会社(かいしゃ)で仕事(しごと)をしたいと思(おも)っています。博士課程(はかせかてい)
I am not yet sure　I might go on (to the doctoral course).　doctoral degree, Ph.D
に進むかどうかまだ分(わ)かりません。行(い)くかもしれません。博士
I think it is also good to be a professor.
号(ごう)をとって、大学の先生(せんせい)になるのもいいと思います。

whether I go back to Malaysia or I find job in Japan　I have not decided yet
将来、マレーシアに帰(かえ)るか、日本で就職(しゅうしょく)するか、まだ決(き)め
a job related to Japan
ていません。日本に関係(かんけい)がある仕事をしたいと思っています。
entertainment
エンターテインメント関係の仕事もおもしろいと思います。

結婚(けっこん)は、したいと思っています。でも、結婚しないかもしれ
If I come across a person I really love　It doesn't matter
ません。いい人(ひと)があらわれたら、結婚したいです。マレーシア
whether he is Malaysian or Japanese or Chinese.　If I don't meet a
人(じん)でも、日本人でも、中国人(ちゅうごく)でも、いいです。でも、いい人が
person I really love　I don't have to get married.　probably　(when I am) around
あらわれなかったら、結婚しなくてもいいです。たぶん、28さ
twenty eight years old　I guess　after marriage
いくらいには結婚するんじゃないかと思います。結婚後(ご)も、仕
continue　intend to
事を続(つづ)けるつもりです。

2 あきおさん  >>>>>>>>>>>>>>>>>>>>>>>>>>>>>>>>>>>> no.2-7

わたしは、システム工学を勉強しています。今は、コンピュータによる言語理解の研究をしています。将来は、人間とコミュニケーションができるロボットを開発(develop)したいと思っています。

大学院に進学する**つもりです**。大学院では、人間とロボットとのインターアクション(interaction)の研究をしたいと思っています。博士課程にも行く**と思います**が、進学しないで、就職する**かもしれません**。将来は、介護ロボット(care robot)の開発(develop)の仕事をしたいです。大学の先生になる**かもしれません**。

結婚は、したいです。でも、大学院で勉強している間は、結婚できない**と思います**。30さいになるまでには、結婚する**だろうと思います**。子どもは、２人くらいほしいです。相手の女性も、仕事をしている人がいいです。家事も、育児も、いっしょにしたいです。

\>>

わたしは、システム工学を勉強しています。今は、コンピュータによる言語理解の研究をしています。将来は、人間とコミュニケーションができるロボットを開発したいと思っています。

大学院に進学するつもりです。大学院では、人間とロボットとのインターアクションの研究をしたいと思っています。博士課程にも行くと思いますが、進学しないで、就職するかもしれません。将来は、介護ロボットの開発の仕事をしたいです。大学の先生になるかもしれません。

結婚は、したいです。でも、大学院で勉強している間は、結婚できないと思います。30さいになるまでには、結婚するだろうと思います。子どもは、2人くらいほしいです。相手の女性も、仕事をしている人がいいです。家事も、育児も、いっしょにしたいです。

Section 2 Summary of the Main Grammar Points

➢ Study the expressions while refering back to the narratives in Section 1.

(1) 〜つもりです

1. 結婚後(けっこんご)も、仕事(しごと)を続(つづ)ける**つもりです**。
2. (わたしは)大学院(だいがくいん)に進学(しんがく)する**つもりです**。

(2) 〜と思(おも)います

1. 博士号(はかせごう)をとって、大学(だいがく)の先生(せんせい)になるのもいい**と思います**。
2. エンターテインメント関係(かんけい)の仕事(しごと)もおもしろい**と思います**。
3. 大学院(だいがくいん)で勉強(べんきょう)している間(あいだ)は、結婚(けっこん)できない**と思います**。

(3) Degree of Certainty

1. 〜と思(おも)います

a. 大学(だいがく)を卒業(そつぎょう)したら、大学院(だいがくいん)に進(すす)む**と思います**。

b. 博士課程(はかせかてい)にも行(い)く**と思います**。

2. 〜だろうと思(おも)います / 〜んじゃないかと思います

a. たぶん、28 さいくらいには結婚(けっこん)する**んじゃないかと思います**。

b. 30 さいになるまでには、結婚する**だろうと思います**。

3. 〜かもしれません

a. (博士課程(はかせかてい)に)行(い)く**かもしれません**。

b. 結婚(けっこん)は、したいと思(おも)っています。でも、結婚しない**かもしれません**。

c. 博士課程にも行くと思いますが、進学(しんがく)しないで、就職(しゅうしょく)する**かもしれません**。

d. 大学(だいがく)の先生(せんせい)になる**かもしれません**。

4. 〜かどうか、(まだ)分(わ)かりません

a. 博士課程(はかせかてい)に進(すす)む**かどうか**まだ**分かりません**。

5. 〜か、〜か、(まだ)決(き)めていません

a. マレーシアに帰(かえ)る**か**、日本で就職(しゅうしょく)する**か**、まだ**決めていません**。

The Gist of Japanese Grammar

(1) Noun-modifying Clause

Noun-modifying clauses are constructed as is shown below. Please note that before the noun, plain forms rather than ～です or ～ます forms are used.

a job that is related to Japan

1. 日本に関係がある仕事をしたいと思っています。

a robot that is capable of communicating with humans

2. 人間とコミュニケーションができるロボットを開発したいと思っています。

a person who has a job

3. 相手の女性も、仕事をしている人がいいです。

(2) (まだ)～ていません

When responding to (もう)～ましたか (Have you ～ yet?) in the negative, **(まだ)～ていません** is used. Study the following examples:

1. A：お昼ごはん、もう、食べましたか。(Have you eaten lunch?/ Did you have lunch?)
   B：いいえ、**まだ**食べ**ていません**。(No, I haven't eaten lunch yet.)
2. マレーシアに帰るか、日本で就職するか、**まだ**決め**ていません**。(I haven't decided yet.)
3. 兄は、**まだ**結婚し**ていません**。(My brother is not / has not married yet.)

As you might have already noticed, (まだ)～ていません is a close equivalent to 'haven't ～ yet'. You may also simply say **まだです** (Not yet.).

(3) ～たいと思っています

When you express your desire or wish, please say **～たいと思っています** rather than ～たいと思います. Use of ～たいと思います is very limited as shown below:

ex. わたしは結婚したいとは思っていません。でも、友だちの結婚式に出たときは、時々、結婚したいと思います。(I usually don't think I want to get married. However, when I attend my friend's wedding, I sometimes feel like I want to get married.)

Essay Writing

➢Write your own personal narrative using the texts in Section 1 as models.

Unit 16

Abilities and Special Talents

できること・できないこと

Theme

☐ **Talking about one's abilities or special talents**

Main Grammar Points

☐ **Potential Expression**

ex. わたしは、マレーシア語と中国語が**話せます**。

日本の食べ物は、何でも**食べられます**。

Additional Grammar Points

☐ adjective ＋と思います：日本の食べ物は、とてもおいしいと思います。

☐ ～方〈how to ～〉：漢字の書き方も、分かります。

☐ ～(する)前〈before ～〉：結婚する前は、わたしは料理ができませんでした。

☐ ～ので〈because ～〉：わたしは中国系なので、漢字の意味はだいたい分かります。

☐ ～(する)ようになりました〈began to ～〉：

結婚してから、料理をするようになりました。

※ You will study '～(よう)になりました' fully in Unit 22.

☐ だから / ですから〈so, therefore〉：ですから、日本語の勉強は、あまりたいへんではありませんでした。

☐ 何でも〈whatever〉：日本の食べ物は、何でも食べられます。

☐ 自分で〈by oneself〉：最近は、バジルソースも、自分で作るようになりました。

Section 1

Personal Narratives

➢ Study and practice saying the text aloud while listening to the audio. Also, practice questioning and answering using the text.

A. できる言語(げんご)

1 リさん

>> no.2-8

　わたしは、中国系のマレーシア人です。だから、マレーシア語と中国語が**話せます**。私立(private school)の学校に行ったので、英語も**話せます**。マレーシア語と英語は、読むことも書くこともできます。中国語は**話せます**。そして、読むこともできます。でも、いい文章(sentence)を書くことはできません。

　高校を卒業してから、日本語の勉強を始めました。わたしは中国系なので、漢字の意味はだいたい分かります。漢字の書き方も、分かります。ですから、日本語の勉強は、あまりたいへんではありませんでした。今は、日本語が**話せます**し、学校の本も**読めます**。でも、レポートなどは、まだうまく**書けません**。漢字の読み方も、時々分かりません。

Unit 16

\>>>

わたしは、中国系(ちゅうごくけい)[Chinese Malaysian]のマレーシア人(じん)です。だから[so, therefore]、マレーシア語(ご)と中国語が**話(はな)せます**。私立(しりつ)[(private school)]の学校(がっこう)に行(い)ったので[because]、英語(えいご)も**話せます**。マレーシア語と英語は、**読(よ)むことも書(か)くこともできます**[am able to read and write]。中国語は**話せます**。そして、**読むこともできます**[am able to read]。でも、いい文章(ぶんしょう)[(sentence)]を**書くことはできません**[am not able to write]。

高校(こうこう)を卒業(そつぎょう)[graduate]してから、日本語の勉強(べんきょう)を始(はじ)めました[began]。わたしは中国系なので[because]、漢字(かんじ)の意味(いみ)[meaning]はだいたい[for the most part]分(わ)かります。漢字の書き方(かた)[writing, how to write]も、分かります。ですから[so, therefore]、日本語の勉強は、あまりたいへんではありませんでした。今(いま)は、日本語が**話せます**し[and also]、学校の本(ほん)も**読めます**。でも、レポートなど[etc., and so forth]は、まだ**うまく書けません**[write well]。漢字の読み方[reading]も、時々(ときどき)分かりません。

B. 食べられるもの

1 リさん  >>> no.2-9

わたしは、食べることが好きです。日本の食べ物は、とてもおいしいと思います。そして、ヘルシーだと思います。おすしや、さしみが、大好きです。天ぷらも、大好きです。お好み焼きやたこ焼きも、好きです。日本の食べ物は、何でも**食べられます**。でも、納豆だけは、**食べられません**。納豆はにおいがひどいと思います。

>>

わたしは、食(た)べることが好(す)きです。日本の食べ物(もの)は、とても
I think　healthy
おいしいと思(おも)います。そして、ヘルシーだと思います。おすし
や、さしみが、大(だい)好きです。天(てん)ぷらも、大好きです。お好(この)み焼(や)
anything
きやたこ焼きも、好きです。日本の食べ物は、何(なん)でも**食べられ**
fermented soybeans　smell　terrible
ます。でも、納豆(なっとう)だけは、**食べられません**。納豆はにおいがひ
どいと思います。

C. できる料理

1 西山先生（にしやませんせい）

no.2-10

結婚する前は、わたしは料理ができませんでした。結婚してから、料理をするようになりました。今は、少し料理ができます。

得意な料理は、カレーとパスタです。カレーは、日本のカレーと、インドのカレーと、タイのカレーが**作れます**。パスタは、シンプルなペペロンチーノ(aglio e olio peperoncino)や、シーフードとトマトソースのパスタや、バジルソース(basil sauce)のパスタなどが**作れます**。最近は、バジルソースも、自分で作るようになりました。簡単な日本の料理も、**作れます**。

>>

before
結婚(けっこん)する前(まえ)は、わたしは料理(りょうり)ができませんでした。結婚して

began to cook
から、料理をするようになりました。今(いま)は、少(すこ)し料理ができます。

favorite　curry　pasta
得意(とくい)な料理は、カレーとパスタです。カレーは、日本のカ

India　Thai
レーと、インドのカレーと、タイのカレーが**作(つく)れます**。パスタ

simple　(aglio e olio peperoncino)　seafood　tomato　sauce
は、シンプルなペペロンチーノや、シーフードとトマトソース

(basil sauce)
のパスタや、バジルソースのパスタなどが**作れます**。最近(さいきん)は、

by myself　simple, easy to prepare
バジルソースも、自分(じぶん)で作るようになりました。簡単(かんたん)な日本の

料理も、**作れます**。

➢ Study the expressions while refering back to the narratives in Section 1.

(1) Potential Expression

（話す：話します⇒話せます）

1. わたしは、マレーシア語(ご)と中国語(ちゅうごくご)が**話(はな)せます**。英語(えいご)も**話せます**。

（読む：読みます⇒読めます）

2. 今(いま)は、日本語が**話せます**し、学校(がっこう)の本(ほん)も**読(よ)めます**。

（書く：書きます⇒書けます）

3. でも、レポートなどは、まだうまく**書(か)けません**。

（食べる：食べます⇒食べられます）

4. 日本の食(た)べ物(もの)は、何(なん)でも**食べられます**。でも、納豆(なっとう)だけは、**食べられません**。

（作る：作ります⇒作れます）

5. 日本のカレーと、インドのカレーと、タイのカレーが**作(つく)れます**。

6. 簡単(かんたん)な日本料理(りょうり)も、**作れます**。

The Gist of Japanese Grammar

(1) Potential Form of the Verb

If you change the vowel preceding ます into 'e', you will get the potential form of the inflectional verb in polite style. Study the lines along with the arrows in the following diagram:

	か-line	さ-line	た-line	ま-line	ら-line	わ-line	
	ka 書かない	sa 話さない	ta 持たない	ma 読まない	ra 作らない	wa 買わない	
	↑	↑	↑	↑	↑	↑	
⇨	書(か)き~~ます~~ ki	話(はな)し~~ます~~ shi (si)	持(も)ち~~ます~~ chi (ti)	読(よ)み~~ます~~ mi	作(つく)り~~ます~~ ri	買(か)い~~ます~~ i (wi)	
	↓	↓	↓	↓	↓	↓	
⇨	書けます ke	話せます se	持てます te	読めます me	作れます re	買えます e (we)	polite style
⇨	書ける	話せる	持てる	読める	作れる	買える	plain style

In order to form potential verb phrase with a stem verb, just add ～られる (plain style) or ～られます (polite style) to the stem of the verb.

- 食(た)べる → 食べられる → 食べられます
- 見(み)る → 見られる → 見られます
- 着(き)る → 着られる → 着られます

Though 帰(かえ)る, 入(はい)る and 切(き)る (cut) may seem to be stem verbs, they are inflectional verbs.

帰ります	入ります	切ります
↓	↓	↓
帰れます	入れます	切れます
↓	↓	↓
帰れる	入れる	切れる

Potentitial forms of 来(く)る and する are 来(こ)られる and できる respectively.

(2) ～(する)前(まえ)

Present or non-past form of a verb is used **before 前** irrespective of the tense of the sentence. Please note that '結婚(けっこん)する' (present form of する, rather than past form した) is used in '結婚する前は、わたしは料理ができませんでした。' (p.32 l.1) even though the tense of the main sentence is past.

(3) ～なので

Noun＋**です** changes into **Noun**＋**な before ～ので**. Study the following diagramic explanation:

わたしは中国系なので、漢字(かんじ)の意味(いみ)はだいたい分(わ)かります。
↑
わたしは中国系(ちゅうごくけい)です＋ので

(4) ので vs. から

Though both ～ので and ～から express cause or reason, **から often sounds arrogant** if not used properly. It is advisable to limit the use of **から within response to** なぜ (**why**) **-questions**. In all the other cases, **please use ので**. Study the following examples:

1. わたしは中国系(ちゅうごくけい)なので、漢字(かんじ)の意味(いみ)はだいたいわかります。(correct)
2. ？わたしは中国系ですから、漢字の意味はだいたいわかります。
   (This use of から may sound arrogant.)
3. A：なぜ、漢字の意味がわかりますか。
   B：わたしは中国系ですから。(correct)

(5) ～(する)ようになりました

～(する)ようになりました simply means **'began to ～'** as in '結婚(けっこん)してから、料理(りょうり)をするようになりました。(I began to cook after I got married.)'. You will study ～ようになりま

した fully in Unit 22.

(6) How to Combine an Adjective to と思(おも)います

Study the following examples, and learn how to combine an adjective to と思います.

□ い-adjective ＋と思(おも)います

1. 日本の食(た)べ物(もの)は、とても**おいしい**　**と思います**。
↑
おいしい~~です~~

2. 納豆(なっとう)は、においが**ひどい**　**と思います**。
↑
ひどい~~です~~

□ な-adjective ＋と思います

1. 日本の食(た)べ物(もの)は**ヘルシーだ** **と思います**。
↑
ヘルシーです

2. 父(ちち)の写真(しゃしん)は、とても**きれいだ** **と思います**。
↑
きれいです

Noun-predicates also change their forms in the same way as な-adjective.

□ Noun-predicate ＋と思(おも)います(not to appear in the textbook)

1. あしたは銀行(ぎんこう)は**休(やす)み[だ]** **と思います**。
↑
休みです

2. 机(つくえ)の上(うえ)の本(ほん)は**先生(せんせい)の本(ほん)[だ]** **と思います**。
↑
先生の本です

Also note that when you find ～と思(おも)います, the subject of 思います are often omitted. You are advised to supply an appropriate subject between と and 思います when you use ～と思います.

1. 日本の食(た)べ物(もの)は、とてもおいしいと **わたしは** 思います。
2. 日本の食べ物は、ヘルシーだと **わたしは** 思います。

In addition と as in ～と思います is simply an end-quote marker.

Essay Writing

➢Write your own personal narrative using the texts in Section 1 as models.

Unit 17

Gifts

プレゼント

Theme

☐ **Talking about an experience in which one gave or received gifts**

☐ **Talking about one's plan to give gifts**

Main Grammar Points

☐ **Expressions of Giving and Receiving**

(1) **あげる**〈give〉：毎年(まいとし)、クリスマスには、子(こ)どもたちにいろいろな物(もの)を**あげました**。

(2) **もらう**〈be given, receive〉：日本に来(く)るとき、わたしは、いろいろな人(ひと)からプレゼントを**もらいました**。

(3) **くれる**〈give to me or my family / close friend / etc.〉：父(ちち)は、時計(とけい)を**くれました**。

Additional Grammar Points

☐ どれも〈everything〉：どれも、とてもすてきでした。

Section 1

Personal Narratives

➢ Study and practice saying the text aloud while listening to the audio. Also, practice questioning and answering using the text.

1 リさん

>> no.2-11

日本に来るとき、わたしは、いろいろな人からプレゼントを**もらいました**。父は、時計を**くれました**。母は、スカーフを**くれました**。兄と姉は、バッグを**くれました**。そして、妹と弟は、セーターを**くれました**。どれも、とてもすてきでした。とてもうれしかったです。そして、親戚のおじさんは、おこづかいを**くれました**。

2 あきおさん

>>>>>>>>>>>>>>>>>>>>>>>>>>>>>>>>>> no.2-12

はたち（二十歳）の誕生日のときに、わたしは、いろいろなプレゼントを**もらいました**。父は、ベルトを**くれました**。母は、ネクタイを**くれました**。兄と姉は、ポロシャツを**くれました**。そして、妹は、ハンカチを**くれました**。

誕生日の夜に、彼女といっしょに食事をしました。彼女は、すてきなサイフを**くれました**。わたしは、サイフがほしかったので、とてもうれしかったです。

>>>

日本に来(く)るとき、わたしは、いろいろな人(ひと)からプレゼントを
I got　wrist watch　gave me　scarf
もらいました。父(ちち)は、時計(とけい)をくれました。母(はは)は、スカーフをく
bag
れました。兄(あに)と姉(あね)は、バッグをくれました。そして、妹(いもうと)と弟(おとうと)
sweater　everything　lovely, cool
は、セーターをくれました。どれも、とてもすてきでした。と
happy　relative　pocket money
てもうれしかったです。そして、親戚(しんせき)のおじさんは、おこづか
いをくれました。

>>

twenty years old　birthday
はたち(二十歳)の誕生日(たんじょうび)のときに、わたしは、いろいろなプレゼント
belt　necktie
をもらいました。父(ちち)は、ベルトをくれました。母(はは)は、ネクタイ
polo shirt
をくれました。兄(あに)と姉(あね)は、ポロシャツをくれました。そして、
handkerchief
妹(いもうと)は、ハンカチをくれました。

girlfriend　have dinner
誕生日の夜(よる)に、彼女(かのじょ)といっしょに食事(しょくじ)をしました。彼女は、
wallet, purse　wanted (to get)
すてきなサイフをくれました。わたしは、サイフがほしかった
ので、とてもうれしかったです。

3 西山先生
にしやませんせい

>>>>>>>>>>>>>>>>>>>>>>>>>>>>>>>>>>>>>> no.2-13

毎年、クリスマスには、子どもたちにいろいろな物を**あげました**。子どもたちが小さいときは、人形やおもちゃを**あげました**。上の子は、本を読むのが好きでした。ですから、４さいのときからは、よく絵本を**あげました**。下の子は、アニメが好きでした。ですから、よくアニメのＤＶＤを**あげました**。小学校に入ってからは、セーターやマフラーや手ぶくろを**あげました**。誕生日には、ほしいものを**あげました**。

>>

毎年(まいとし)、クリスマス[Christmas]には、子(こ)どもたちにいろいろな物(もの)を**あげました**[gave]。子どもたちが小(ちい)さいとき[when my children were small]は、人形(にんぎょう)[doll]やおもちゃ[toy]を**あげました**。上(うえ)の子[elder child]は、本(ほん)を読(よ)むのが好(す)きでした。ですから、4(よん)さいのときからは、よく絵本(えほん)[picture book]を**あげました**。下(した)の子[younger child]は、アニメ[animation]が好きでした。ですから、よくアニメのＤＶＤ(ディーブイディー)を**あげました**。小学校(しょうがっこう)[elementary school]に入(はい)って[enter]からは、セーターやマフラー[muffler]や手(て)ぶくろ[gloves]を**あげました**。誕生日(たんじょうび)[birthday]には、ほしいもの[what they want (to get)]を**あげました**。

Section 2 Summary of the Main Grammar Points

➢ Study the expressions while refering back to the narratives in Section 1.

☐ **Expressions of Giving and Receiving**

(1) あげる 〈give〉

1. 毎年(まいとし)、クリスマスには、子(こ)どもたちにいろいろな物(もの)を**あげました**。
2. 子どもたちが小(ちい)さいときは、人形(にんぎょう)やおもちゃを**あげました**。
3. よく絵本(えほん)を**あげました**
4. よくDVD(ディーブイディー)を**あげました**。

5. 小学校(しょうがっこう)に入(はい)ってからは、セーターやマフラーや手(て)ぶくろを**あげました**。
6. 誕生日(たんじょうび)には、ほしいものを**あげました**。

(2) もらう 〈be given, receive〉

1. わたしは、日本に来(く)るとき、いろいろな人(ひと)からプレゼントを**もらいました**。
2. はたちの誕生日(たんじょうび)のときに、わたしは、いろいろなプレゼントを**もらいました**。

(3) くれる 〈give to me or my family / close friend / etc.〉

1. 父(ちち)は、時計(とけい)を**くれました**。
2. 母(はは)は、スカーフを**くれました**。
3. 妹(いもうと)と弟(おとうと)は、セーターを**くれました**。
4. 親戚(しんせき)のおじさんは、おこづかいを**くれました**。

5. 父は、ベルトを**くれました**。
6. 母は、ネクタイを**くれました**。
7. 兄(あに)と姉(あね)は、ポロシャツを**くれました**。
8. 妹は、ハンカチを**くれました**。

9. 彼女(かのじょ)は、すてきなサイフを**くれました**。

The Gist of Japanese Grammar

(1) あげる, もらう and くれる

As you studied in Section 1, while **くれる** is used to express 'someone else **gives something to me or to my kinship etc.**', **あげる** is used in **all other acts of giving**. Also, **もらう** is used to express **the act of receiving in general**. Review the following examples:

1. 父は、(わたしに)時計を**くれました**。(**1** リさん)
2. 妹の誕生日に、となりの人は妹に絵本を**くれました**。
   (My next-door neighbor gave a picturebook to my sister on her birthday.)
3. 毎年、クリスマスには、子どもたちにいろいろな物を**あげました**。(**3** 西山先生)
4. わたしは、日本に来るとき、いろいろな人から プレゼントを**もらいました**。(**1** リさん)

When using もらう, the giver may be indicated with **に**.

5. わたしは、日本に来るとき、いろいろな人**に**プレゼントをもらいました。

(2) さしあげる, いただく and くださる

さしあげる, **いただく** and **くださる** are polite versions of giving and receiving, that correspond to あげる, もらう, and くれる respectively. Study the following examples:

1. 本日のお客様には、キーホルダーを**さしあげます**。
   (cf. あげます)
   (We will present a key ring to today's customer.)
2. 先生から、先生の本を**いただきました**。
   (cf. もらいました)
3. 先生は、本を**くださいました**。
   (cf. くれました)

(3) どれも vs. みんな

You may say '**みんな**、とてもすてきでした。' instead of '**どれも**、とてもすてきでした。'. While **どれも** (everything) is **used for things only**, **みんな** (everything, or everybody/everyone) can be used for both things and people.

Essay Writing

➢Write your own personal narrative using the texts in Section 1 as models.

Unit 18 Support, Assistance, and Kindness

親切(しんせつ)・手助(てだす)け

Theme

☐ **Talking about experiences in which one is supported or assisted by other people**

Main Grammar Points

☐ **Verb ＋ Giving or Receiving**

(1) **〜てもらう** 〈receiving an act of kindness〉：国(くに)を出(で)るとき、わたしは、いろいろな人(ひと)に**助(たす)けてもらいました**。

(2) **〜てくれる** 〈giving an act of kindness to me or my kin〉：

兄(あに)は、大使館(たいしかん)にいっしょに**行(い)ってくれました**。

Additional Grammar Points

☐ 〜(する)ために 〈in order to 〜〉：来月(らいげつ)、わたしは、学会(がっかい)に出席(しゅっせき)する<u>ために</u>、オーストラリアのシドニーに行(い)きます。

Personal Narratives

➢ Study and practice saying the text aloud while listening to the audio. Also, practice questioning and answering using the text.

1 リさん

no.2-14

国を出るとき、わたしは、いろいろな人に**助けてもらいました**。兄は、大使館に**いっしょに行ってくれました**。妹は、買い物を**手伝ってくれました**。姉は、荷物のパッキングを**手伝ってくれました**。弟は、**部屋のそうじをしてくれました**。

出発の日、父と母と兄と弟と妹は、空港まで**送ってくれました**。兄と弟は、チェックイン・カウンターまで、スーツケースを**運んでくれました**。友だちもたくさん空港に**来てくれました**。妹は、**写真をとってくれました**。家族とたくさんの友だちが**見送ってくれた**ので、わたしはうれしかったです。でも、家族や友だちと別れるのは、悲しかったです。姉は仕事があったので、空港まで来られませんでした。

>>

when I leave my country　was assisted by many people
国を出るとき、わたしは、いろいろな人に助けてもらいま
くに　で　ひと　たす

embassy　kindly accompanied me
した。兄は、大使館にいっしょに行ってくれました。妹は、
あに　たいしかん　い　いもうと

helped me to do shopping　luggage, baggage　┌to pack
買い物を手伝ってくれました。姉は、荷物のパッキングを手
か　もの　て　つだ　あね　に　もつ

kindly cleaned my room
伝ってくれました。弟は、部屋のそうじをしてくれました。
おとうと　へ　や

(on) the departure day　kindly drove me to the airport
出発の日、父と母と兄と弟と妹は、空港まで送ってくれまし
しゅっぱつ　ひ　ちち　はは　くうこう　おく

check-in counter　suitcase
た。兄と弟は、チェックイン・カウンターまで、スーツケース

carry　came to see me off to the airport
を運んでくれました。友だちもたくさん空港に来てくれました。
はこ　とも　き

sent
妹は、写真をとってくれました。家族とたくさんの友だちが見
しゃしん　かぞく　み

me off
送ってくれたので、わたしはうれしかったです。でも、家族や

separate　sad
友だちと別れるのは、悲しかったです。姉は仕事があったので、
わか　かな　しごと

空港まで来られませんでした。
こ

2 リさん

>>> no.2-15

日本に来てからも、いろいろな人に**助けてもらいました**。まず(first, first of all)、携帯電話の買い方や、インターネットの接続の仕方が、分かりませんでした。寮の友だちは、携帯電話の店に**連れて行ってくれました**。インターネットの接続のときは、先輩が**手伝ってくれました**。

電車の乗り方も、分かりませんでした。それで、わたしは、駅の人に聞きました。駅の人は、切符の買い方を親切に**教えてくれました**。プリペイドカードの使い方も、**説明してくれました**。自動改札機(automatic ticket gate)の使い方も、**教えてくれました**。わたしは、日本人は親切だと思いました。そして、日本の電車はとても便利だと思いました。

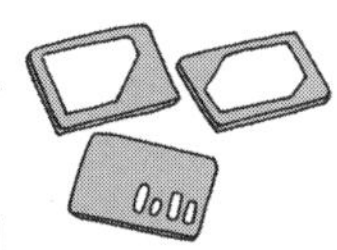

>>

日本に来(き)てからも、いろいろな人(ひと)に**助(たす)けてもらいました** [was assisted by many people]。まず [(first, first of all)]、携帯電話(けいたいでんわ) [cellular phone]の買(か)い方(かた)や、インターネットの接続(せつぞく) [internet connection]の仕方(しかた) [how to (do sth.)]が、分かりませんでした。寮(りょう) [dormitory]の友(とも)だちは、携帯電話の店(みせ) [shop]に**連(つ)れて行(い)ってくれました** [kindly took me]。インターネットの接続のときは、先輩(せんぱい) [my senior]が**手(て)伝(つだ)ってくれました**。

電車(でんしゃ)の乗(の)り方も、分かりませんでした。それで、わたしは、駅(えき)の人(ひと)に聞(き)きました。駅の人は、切符(きっぷ) [ticket]の買い方を親切(しんせつ)に**教(おし)えてくれました** [kindly taught me]。プリペイドカード [prepaid card]の使(つか)い方も、**説明(せつめい)してくれました** [kindly explained to me]。自動改札機(じどうかいさつき) [(automatic ticket gate)]の使い方も、**教えてくれました**。わたしは、日本人は親切だと思(おも)いました。そして、日本の電車はとても便利(べんり) [convenient]だと思いました。

3 西山先生
にしやませんせい

>>>>>>>>>>>>>>>>>>>>>>>>>>>>>>>>>>>>>> no.2-16

来月、わたしは、学会に出席するために、オーストラリアのシドニーに行きます。わたしは、オーストラリアは、初めてです。同僚の川田先生は、５年間、シドニーに住んでいました。わたしは、川田先生から、シドニーのことをいろいろ**教えてもらいました。**

川田先生は、シドニーの地図をくれました。学会は、サウスシドニー大学であります。わたしは、最初に、大学の場所を**教えてもらいました。**それから、大学に近いホテルを**紹介してもらいました。**川田先生は、親切にいろいろなことを**教えてくれました。**市内の観光スポットや、歴史的な場所も、**教えてくれました。**安くておいしいレストランも、**紹介してくれました。**

>>>

next month　in order to attend an academic conference　Australia
来月、わたしは、学会に出席するために、オーストラリアの
らいげつ　がっかい　しゅっせき

Sydney　first time
シドニーに行きます。わたしは、オーストラリアは、初めてで
い　はじ

my colleague
す。同僚の川田先生は、５年間、シドニーに住んでいました。
どうりょう　かわ た せんせい　ねんかん　す

I was given a lot of information
わたしは、川田先生から、シドニーのことをいろいろ**教えて**も
おし

らいました。

map　south
川田先生は、シドニーの地図をくれました。学会は、サウス
ち ず

first　location
シドニー大学であります。わたしは、最初に、大学の場所を**教**
だいがく　さいしょ　ば しょ

I asked him to recommend
えてもらいました。それから、大学に近いホテルを**紹介しても**
ちか　しょうかい

kindly gave me a lot of information
らいました。川田先生は、親切にいろいろなことを**教えてくれ**
しんせつ

in the city　tourist spots　historic spots
ました。市内の観光スポットや、歴史的な場所も、**教えてくれ**
し ない　かんこう　れき し てき

kindly reccomended to me
ました。安くておいしいレストランも、**紹介してくれました**。
やす

Section 2 Summary of the Main Grammar Points

➢ Study the expressions while refering back to the narratives in Section 1.

☐ Verb ＋ Giving or Receiving

(1) ～てもらう 〈receiving an act of kindness〉

(助ける ⇒ 助けて)

1. 国(くに)を出(で)るとき、わたしは、いろいろな人(ひと)に**助(たす)けてもらいました。**
2. 日本に来(き)てからも、いろいろな人に**助けてもらいました。**

(教える ⇒ 教えて)

3. わたしは、川田先生(かわたせんせい)から、シドニーのことをいろいろ**教(おし)えてもらいました。**
4. 最初(さいしょ)に、大学(だいがく)の場所(ばしょ)を**教えてもらいました。**それから、大学に近(ちか)い

   (紹介する ⇒ 紹介して)

   ホテルを**紹介(しょうかい)してもらいました。**

(2) ～てくれる 〈giving an act of kindness to me or my kin etc.〉

(行く ⇒ 行って)

1. 兄(あに)は、大使館(たいしかん)にいっしょに**行(い)ってくれました。**

(手伝う ⇒ 手伝って)

2. 妹(いもうと)は、買(か)い物(もの)を**手伝(てつだ)ってくれました。**

3. 姉(あね)は、荷物(にもつ)のパッキングを**手伝ってくれました。**

(する ⇒ して)

4. 弟(おとうと)は、**部屋(へや)のそうじをしてくれました。**

(送る ⇒ 送って)

5. 父(ちち)と母(はは)と兄と弟は、空港(くうこう)まで**送(おく)ってくれました。**

(運ぶ ⇒ 運んで)

6. 兄と弟は、スーツケースを**運(はこ)んでくれました。**

(来(く)る ⇒ 来(き)て)

7. 友(とも)だちもたくさん空港に**来(き)てくれました。**

(とる ⇒ とって)

8. 妹は、写真(しゃしん)を**とってくれました。**

(見送る ⇒ 見送って)

9. 家族(かぞく)とたくさんの友だちが**見送(みおく)ってくれました。**

（連れて行く ⇒ 連れて行って）

10. 寮の友だちは、携帯電話の店に**連れて行ってくれました**。

11. インターネットの接続のときは、先輩が**手伝ってくれました**。

12. 駅の人は、切符の買い方を親切に**教えてくれました**。

（説明する ⇒ 説明して）

13. プリペイドカードの使い方も、**説明してくれました**。自動改札機の使い方も、**教えてくれました**。

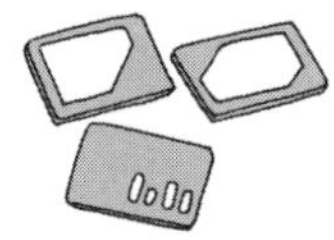

14. 川田先生は、親切にいろいろなことを**教えてくれました**。

15. 市内の観光スポットや、歴史的な場所も、**教えてくれました**。

16. 安くておいしいレストランも、**紹介してくれました**。

The Gist of Japanese Grammar

(1)「～に～てもらいました」or「～から～てもらいました」

～てもらいました expresses receiving kindness from other people. Study the following excerpts cited from the texts:

1. 国を出るとき、わたしは、いろいろな人に助けてもらいました。
2. わたしは、川田先生から、シドニーのことをいろいろ教えてもらいました。

Please note that the source of the action is indicated with **に** or **から**. In actuality に is used in general, and から **should be used with caution**. Study the following examples:

3. わたしは、川田先生［に／から］、シドニーのことをいろいろ教えてもらいました。
4. わたしは、川田先生［に／から］、サウスシドニー大学に近いホテルを紹介してもらいました。
5. わたしは、駅の人［に／から］、プリペイドカードの使い方を説明してもらいました。
6. 国を出るとき、わたしは、いろいろな人［に／?から］助けてもらいました。
7. わたしは、兄［に／×から］大使館にいっしょに行ってもらいました。

When the verb entails directionality such as 教える, 紹介する or 説明する, から may be used. から may not be used with any other kinds of verbs in this structure.

(2) ～てくれました and ～てあげました

Both **～は～てくれました** and **～は～てあげました** may be translated as '～ was/were kind enough to ～' or '～ kindly ～'. Review the following excerpts cited from the texts.

1. 兄は、大使館にいっしょに行ってくれました。
2. 弟は、**部屋のそうじをしてくれました**。
3. 父と母と兄と弟は、空港まで**送ってくれました**。
4. 駅の人は、切符の買い方を親切に**教えてくれました**。
5. 洗濯物がたくさんあったので、（わたしは）**洗濯もしてあげました**。(p.60, l.6-7)
6. 田中さんは、**ゴミも出してあげました**。(p.60, l.8-9)

(3) 親切に教えてくれました

親切に is an adverb that you find in '駅の人は、切符の買い方を**親切に**教えてくれました。', derived from a な -adjective **親切な**. Similarly, **早く**, as in 'わたしは、毎朝、早く起きます。('I get up early every morning'), is derived from い -adjective '**早い**'. Study the following examples:

☐ **な-adjective**

親切な	⇒	親切に	**親切に**教えてくれました(kindly explained/taught me)
きれいな	⇒	きれいに	くつを**きれいに**洗いました(washed the shoes clean)
しずかな	⇒	しずかに	**しずかに**本を読みました(read a book quietly)

☐ **い-adjective**

早い	⇒	早く	**早く**起きます(get up early)
速い	⇒	速く	漢字を**速く**書きました(wrote the kanji quickly)
きびしい	⇒	きびしく	**きびしく**教えました(taught sternly/strictly)

These adverbial forms are also used in expressing change of state.

きれいな	⇒	きれいに	部屋が**きれいに**なりました(The room got clean.)
好きな	⇒	好きに	アニメが**好きに**なりました(I became fond of anime.)
便利な	⇒	便利に	**便利に**なりました(It got convenient.)
元気な	⇒	元気に	**元気に**なりました(got well)
明るい	⇒	明るく	6時ごろ、**明るく**なります(It grows light around six o'clock.)
暗い	⇒	暗く	5時ごろ、**暗く**なります(It gets dark around five o'clock.)
高い	⇒	高く	円が**高く**なりました(The yen went up.)
安い	⇒	安く	円が**安く**なりました(The yen went down.)

Essay Writing

➤Write your own personal narrative using the texts in Section 1 as models.

Unit 19 Visits

訪問
ほうもん

Theme

- ☐ **Talking about experiences in which one supported or assisted other people**
- ☐ **Reporting information indirectly**

Main Grammar Points

- ☐ **Verb ＋ Giving**：**～てあげる**〈giving an act of kindness〉

  ex. わたしは、部屋のそうじを**してあげました**。
- ☐ **～そうです①**〈I heard that ～〉：シドニーの北には、大きな動物園がある**そうです**。
- ☐ **～そうです②**〈It sounds / looks / smells ～, It seems that ～, ～ seem to ～〉：

  楽しい出張になり**そうです**。

Additional Grammar Points

- ☐ ～で〈because of ～〉：大川くんは、先週、カゼで学校を休みました。
- ☐「…」と言いました〈said " ～ ."〉：「おいしい、おいしい」と言いながら、スープを飲みました。
- ☐ ～てみる〈have a try of ～〉：時間があったら、行ってみたいと思っています。
- ☐ ～という＿＿〈＿＿ called ～〉：シドニーでは、ライトレールという電車が走っているそうです。

Section 1

Personal Narratives

➢ Study and practice saying the text aloud while listening to the audio. Also, practice questioning and answering using the text.

1 西山先生（にしやませんせい）

>>>>>>>>>>>>>>>>>>>>>>>>>>>>>>>>>>>>>> no.2-17

来月、わたしは、オーストラリアのシドニーに行きます。同僚の川田先生は、親切にいろいろなことを教えてくれました。

シドニーでは、ライトレール(Light Rail)という電車が走っている**そうです**。モノレールもある**そうです**。とても便利だ**そうです**。もちろん、レンタカーもあります。レンタカーを使うのもいいです。

シドニーの北には、大きな動物園がある**そうです**。コアラ(koala)やカンガルー(kangaroo)やいろいろな種類のペンギン(penguin)を見ることができる**そうです**。「シドニーに行ったら、ぜひ行ってください」と川田先生は言いました。時間があったら、行ってみたいと思っています。シドニーは、とてもおもしろ**そうです**。楽しい出張になり**そうです**。

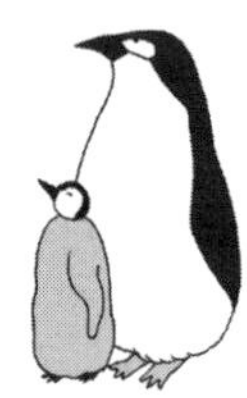

>>

来月、わたしは、オーストラリアのシドニーに行きます。
らいげつ い

my colleague
同僚の川田先生は、親切にいろいろなことを教えてくれました。
どうりょう かわ た せんせい しんせつ おし

(Light Rail) a train called~ I heard
シドニーでは、ライトレールという電車が走っているそうです。
でんしゃ はし

monorail of course
モノレールもあるそうです。とても便利だそうです。もちろん、レンタカーもあります。レンタカーを使うのもいいです。
べんり つか

Rental cars are also available. It's also a good idea to get a car.

in the north of Sydney big, huge zoo (koala)
シドニーの北には、大きな動物園があるそうです。コアラや
きた おお どうぶつえん

(kangaroo) different kinds of (penguin)
カンガルーやいろいろな種類のペンギンを見ることができるそうです。
しゅるい み

when you visit Sydney at any cost
「シドニーに行ったら、ぜひ行ってください」と川田
い

said if I have time I would love to visit it.
先生は言いました。時間があったら、行ってみたいと思っています。
い じかん おも

sounds very interesting It seems that my business trip
シドニーは、とてもおもしろそうです。楽しい出張に
たの しゅっちょう

will be an enjoyable one.
なりそうです。

2 あきおさん  >>>>>>>>>>>>>>>>>>>>>>>>>>>>>>>>>>> no.2-18

友だちの大川くんは、先週、カゼで学校を休みました。今日、わたしは、田中さんといっしょに大川くんのアパートに行きました。りんごとメロンを持っていきました。大川くんは、まだベッドで寝ていました。でも、わりと元気**そうでした**。

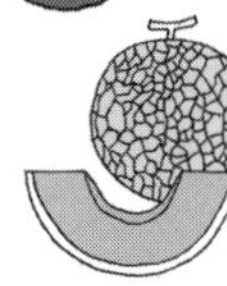

部屋もキッチンも、ちらかっていました。わたしは、**部屋のそうじをしてあげました**。洗濯物がたくさんあったので、**洗濯もしてあげました**。

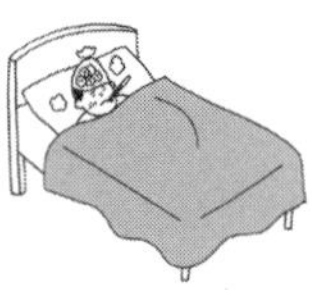

田中さんは、キッチンをかたづけました。ゴミも、**出してあげました**。そして、大川くんに、スープを**作ってあげました**。大川くんは、おいし**そう**にスープを飲みました。大川くんは、「おいしい、おいしい」と言いながら、スープを飲みました。カゼは、もうなおり**そうです**。

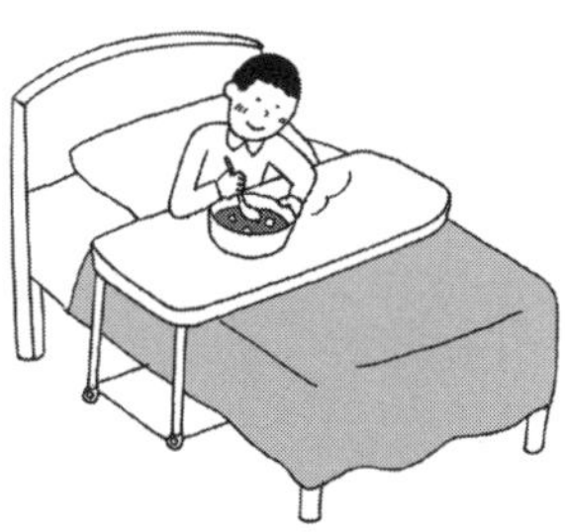

\>>

友(とも)だちの大川(おおかわ)くんは、先週(せんしゅう)、カゼ[cold]で[because of]学校(がっこう)を休(やす)み[was absent]ました。今日(きょう)、わたしは、田中(たなか)さんといっしょに大川くんのアパート[apartment, flat]に行(い)きました。りんごとメロン[melon]を持(も)っていきました。大川くんは、まだベッド[bed]で寝(ね)ていました。でも、わりと元気(げんき)**そう**でした[he looked fairly better now]。

部屋(へや)もキッチン[kitchen]も、ちらかって[in a mess]いました。わたしは、**部屋のそうじをしてあげました。**洗濯物(せんたくもの)[laundry]がたくさんあったので、**洗濯もしてあげました。**

田中さんは、キッチンをかたづけ[tidied up]ました。ゴミ[garbage, trash]も、**出(だ)して[took out]あげました。**そして、大川くんに、スープ[soup]を**作(つく)ってあげました。**大川くんは、おいし**そう**に[deliciously]スープを飲(の)みました。大川くんは、「おいしい、おいしい」と言(い)い[saying]ながら、スープを飲みました。カゼは、もうなおり**そう**です。[It seems that his cold will be cured soon.]

Section 2 Summary of the Main Grammar Points

➢ Study the expressions while refering back to the narratives in Section 1.

(1) ～てあげる 〈giving an act of kindness〉

（する⇒して）

1. わたしは、**部屋(へや)のそうじをしてあげました。**
2. 洗濯物(せんたくもの)があったので、**洗濯もしてあげました。**

（出す⇒出して）　（作る⇒作って）

3. 田中(たなか)さんは、ゴミも、**出(だ)してあげました。**そして、大川(おおかわ)くんに、スープを**作(つく)ってあげました。**

(2) ～そうです① 〈I heard that ～〉

1. シドニーでは、ライトレールという電車(でんしゃ)が走(はし)っている**そうです。**
2. モノレールも走っている**そうです。**とても便利(べんり)だ**そうです。**
3. シドニーの北(きた)には、大(おお)きな動物園(どうぶつえん)がある**そうです。**
4. いろいろな種類(しゅるい)のペンギンを見(み)ることができる**そうです。**

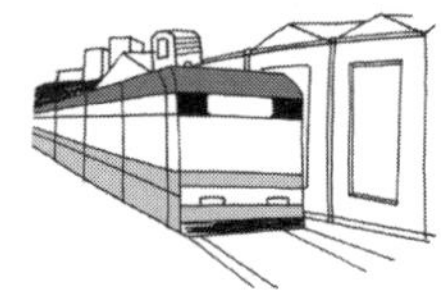

(3) ～そうです② 〈It sounds / looks / smells ～, It seems that ～, ～ seem to ～〉

1. シドニーは、とてもおもしろ**そうです。**
2. 楽(たの)しい出張(しゅっちょう)になり**そうです。**
3. 大川(おおかわ)くんは、まだベッドで寝(ね)ていました。でも、わりと元気(げんき)**そうでした。**
4. 大川くんのカゼは、もうなおり**そうです。**

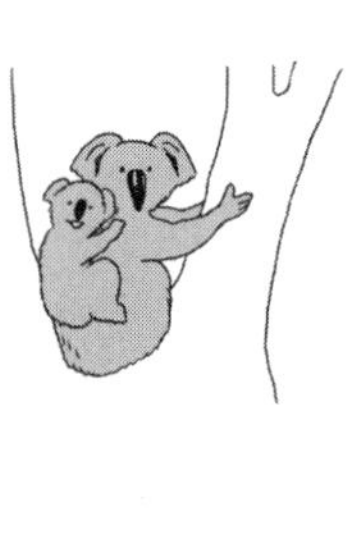

The Gist of Japanese Grammar

(1) そうです① vs. そうです②

You will study different kinds of そうです in this unit. While **そうです①** roughly means **'I heard that ～'**, **そうです②** means **'it sounds/looks/smells ～'**, **'it seems that ～'**, **'～ seem to ～'** etc.. Study the following excerpts cited from the text:

□ **そうです①**

1. シドニーでは、ライトレールという電車(でんしゃ)が走(はし)っている**そうです**。
2. (シドニーには、) モノレールもある**そうです**。
3. (ライトレールも、モノレールも、) とても便利(べんり)だ**そうです**。
4. シドニーの北(きた)には、大(おお)きな動物園(どうぶつえん)がある**そうです**。

□ **そうです②**

1. シドニーは、とてもおもしろ~~い~~**そうです**。
2. 楽(たの)しい出張(しゅっちょう)になり~~ます~~**そうです**。
3. 大川(おおかわ)くんは、まだベッドで寝(ね)ていました。でも、わりと元気(げんき)~~です~~**そうでした**。
4. 大川くんのカゼは、もうなおり~~ます~~**そうです**。

As you see above, while plain form precedes ～そうです①, the stem form of verbs or adjectives precedes ～そうです② .

(2) そうです① vs. らしいです

らしいです is another expression meaning 'I heard that ～ '. While そうです① implies a specific source of information, らしいです implies multiple sources of the information. Therefore, **らしいです** may be translated as '**Many people say that** ～ '.

(3) ～てみる

～てみる means that the action is **done by way of trial**. So, ' 食(た)べてみました ', ' 飲(の)んでみました ', ' 読(よ)んでみました ' etc. may all be translated simply as 'tried'. ' 行(い)ってみたい ' in ' 時間(じかん)があったら、<u>行ってみたい</u>と思(おも)っています。' (p.58, l.10-11) may be translated as 'I want to go and see.'.

Essay Writing

➤Write your own personal narrative using the texts in Section 1 as models.

Unit 20

Praises, Scoldings, and Requests I Got from Someone Else

ほめられたこと・しかられたこと

Theme

□ **Talking about experiences in which one is praised or scolded by his/her parents, school teacher, etc.**

□ **Talking about experiences in which one is asked to do something**

Main Grammar Points

□ **Passive Expression A**：Receiving another person's psychological or verbal action

ex. わたしは、父(ちち)によく**ほめられました**。

大学院生(だいがくいんせい)のときは、先生(せんせい)からよく仕事(しごと)を**頼**(たの)**まれました**。

□ **～ように言**(い)**われました**〈be told to ～〉：姉(あね)は、もっと早(はや)くうちに帰(かえ)ってくる**ように言われました**。

Additional Grammar Points

□ ～ばかり〈nothing but ～〉：弟(おとうと)は、うちでゲームばかりしていました。

Section 1

Personal Narratives

➢ Study and practice saying the text aloud while listening to the audio. Also, practice questioning and answering using the text.

1 リさん

no.2-19

　子どものとき、わたしは、わりといい子でした。学校の勉強はそれほど好きではありませんでしたが、よく勉強しました。学校の成績もよかったです。それで、父によく**ほめられました**。弟や妹の世話もよくしました。それで、母によく**ほめられました**。3年生になったとき、自分の部屋は自分でそうじをする**ように言われました**。それから、1週間に1回、自分で自分の部屋をそうじしました。すぐにできたので、また、**ほめられました**。

　弟は、小学生のときから、ゲームが大好きでした。うちでゲーム<u>ばかり</u>しているので、弟はよく母に**しかられました**。

　高校生のとき、姉は時々夜遅くうちに帰ってきました。そんなときは、姉は父に**しかられました**。姉は、もっと早くうちに帰ってくる**ように言われました**。

>>

comparatively good girl/boy
子(こ)どものとき、わたしは、わりといい子でした。学校(がっこう)の勉強(べんきょう)
not so much / but / a lot
はそれほど好(す)きではありませんでしたが、よく勉強しました。
school grades / very often / was praised
学校の成績(せいせき)もよかったです。それで、父(ちち)によく**ほめられました**。
took care of
弟(おとうと)や妹(いもうと)の世話(せわ)もよくしました。それで、母(はは)によく**ほめられま**
was told to clean
した。3年生(ねんせい)になったとき、自分(じぶん)の部屋(へや)は自分でそうじをする
after that / once a week
ように言(い)われました。それから、1週間(いっしゅうかん)に1回(いっかい)、自分で自分の
部屋をそうじしました。すぐにできたので、また、**ほめられま**
した。

elementary school student / game
弟は、小学生(しょうがくせい)のときから、ゲームが大(だい)好きでした。うちで
does nothing but play games / was scolded
ゲームばかりしているので、弟はよく母に**しかられました**。

late at night
高校生(こうこうせい)のとき、姉(あね)は時々(ときどき)夜(よる)遅(おそ)くうちに帰(かえ)ってきました。そん
earlier
なときは、姉は父に**しかられました**。姉は、もっと早(はや)くうちに
帰ってくる**ように言われました**。

2 あきおさん

>>>>>>>>>>>>>>>>>>>>>>>>>>>>>>>>>> no.2-20

　子どものときは、家の手伝いはあまりしませんでした。自分の部屋は自分でかたづける**ように言われました**が、あまりかたづけませんでした。外からうちに帰ってきたら、手を洗う**ように言われました**が、ぜんぜんしませんでした。夜は早く寝る**ように言われました**が、夜遅くまでマンガを読んでいました。それで、時々、次の日の朝は起きられませんでした。そして、母に**しかられました**。

3 西山先生（にしやませんせい）

>>>>>>>>>>>>>>>>>>>>>>>>>>>>>>>>>> no.2-21

　大学院生のときは、先生からよく仕事を**頼まれました**。論文のコピーをよく**頼まれました**。わたしはわりと英語がよくできたので、英語のチェックもよく**頼まれました**。外国人のお客さんが来たときは、通訳を**頼まれました**。また、後輩の世話をする**ように言われました**。その代わりに(in exchange for that)、先生はよくごちそうしてくれました。お酒にもよく**誘われました**。先生とは、今でもとてもいい関係です。

>>

子(こ)どものときは、家(いえ)の手伝(てつだ)い[housework]はあまりしませんでした。自分(じぶん)の部屋(へや)は自分でかたづける[tidy up]**ように言(い)われましたが**、あまりかたづけませんでした。外(そと)[outside]からうちに帰(かえ)ってきたら、手(て)を洗(あら)う**ように言われましたが**、ぜんぜんしませんでした[I never did it]。夜(よる)は早(はや)く寝(ね)る**ように言われましたが**、夜遅(おそ)くまでマンガを読(よ)んでいました。それで、時々(ときどき)、次(つぎ)の日(ひ)[the following day]の朝(あさ)は起(お)きられませんでした。そして、母(はは)に**しかられました**[was scolded]。

>>

大学院生(だいがくいんせい)のときは、先生(せんせい)からよく仕事(しごと)を**頼(たの)まれました**[was asked to do a job]。論文(ろんぶん)[dissertation, research paper]のコピー[photocopy, photocopying]をよく**頼まれました**。わたしはわりと英語(えいご)がよくできたので、英語のチェック[check]もよく**頼まれました**。外国人(がいこくじん)のお客(きゃく)さん[guest]が来(き)たときは、通訳(つうやく)[interpreting]を**頼まれました**。また、後輩(こうはい)の世話(せわ)をする[look after the juniors]**ように言(い)われました**。その代(か)わりに[(in exchange for that)]、先生はよくごちそうしてくれました[took me to dinner]。お酒(さけ)にもよく**誘(さそ)われました**[was invited]。先生とは、今(いま)でも[even now]とてもいい関係(かんけい)[good relationship]です。

Section 2 Summary of the Main Grammar Points

➢ Study the expressions while refering back to the narratives in Section 1.

(1) Passive Expression A① 〈Receiving another person's psychological action〉

（ほめる ⇒ ほめられる）

1. 学校の成績もよかったです。それで、父によく**ほめられました**。
2. 弟や妹の世話をよくしました。それで、母によく**ほめられました**。

（しかる ⇒ しかられる）

3. うちでゲームばかりしているので、弟はよく母に**しかられました**。
4. 時々夜遅くうちに帰ってきたので、姉は父に**しかられました**。

(2) Passive Expression A② 〈Receiving another person's verbal action〉

（頼む ⇒ 頼まれる）

1. 大学院生のときは、よく先生から仕事を**頼まれました**。
2. 論文のコピーをよく**頼まれました**。
3. わたしはわりと英語がよくできたので、英語のチェックもよく**頼まれました**。
4. 外国人のお客さんが来たときは、通訳を**頼まれました**。

（誘う ⇒ 誘われる）

5. お酒にもよく**誘われました**。

(3) ～ように言われました 〈be told to ～〉

（言う ⇒ 言われる）

1. 自分の部屋は自分でそうじをする**ように言われました**。
2. 姉は、もっと早くうちに帰ってくる**ように言われました**。
3. 自分の部屋は自分でかたづける**ように言われました**。
4. 外からうちに帰ってきたら、手を洗う**ように言われました**。

5. 夜は早く寝る**ように言われました**。
6. （先生から）後輩の世話をする**ように言われました**。

The Gist of Japanese Grammar

(1) Passive Expressions

Passive expressions indicate that **someone receives another person's action**. The action can be psychological or verbal (**passive expression A**, Unit 20, pp.66-69). Also, it can also be physical (**passive expression B**, Unit 23, pp.92-95). Another kind of passive expression is the 'academic passive' (**passive expression C**, Unit 24, pp.100-103), in which an object, rather than a person, stands as the subject of the sentence just like a passive sentence in English. Study the following examples:

1. それで、(わたしは) 父に**よくほめられました**。(passive expression A)
2. 弟 はよく母に**しかられました**。(passive expression A)
3. よく先生から仕事を**頼まれました**。(passive expression A)
4. 道を歩いていると、急に犬に**ほえられました**。(passive expression B, to be studied in unit 23)
   (When I was walking in a street, I was suddenly burked at by a dog.)
5. 日本では、昔から日本語が**話されています**。(passive expression C, to be studied in unit 24)
   (Japanese is spoken in Japan from ancient times.)

(2) ～ように言われました

～ように言われました may be simply translated as '**be told to** ～'. It is a passive expression that has been derived from ～ように言いました . Study the following diagramic explanation:

1. 姉は、もっと早くうちに帰ってくる**ように(父から)言われました**。(My sister was told to ～.)

   父は、姉に、もっと早くうちに帰ってくる**ように言いました**。(My father told my sister to ～.)

2. (わたしは、) 自分の部屋は自分でかたづける**ように(母から)言われました**。(I was told to ～.)

   母は、わたしに、自分の部屋は自分でかたづける**ように言いました**。(My mother told me to ～.)

Essay Writing

➢ Write your own personal narrative using the texts in Section 1 as models.

Unit
21 Making or Allowing
しつけ（1）

Theme

☐ **Talking about a story in which someone made/allowed someone else to do something**

☐ **Talking about a story in which someone made/allowed you to do something**

Main Grammar Points

☐ **Causative Expression**

（1）**Having someone do something**

ex. 母は兄に、野菜を**食べさせ**ました。

（2）**Allowing someone to do something**

ex. 兄は、友だちと外で遊びたかったです。でも、父は、**遊ばせ**ませんでした。

☐ **～(さ)せてくれました** 〈kindly let *me* ～〉：母は、(わたしに)何でも**食べさせてくれました**。

☐ **～(さ)せようとしました** 〈tried to force someone to ～〉：

母はわたしに、ピーマンとトマトを**食べさせようとしました**。

☐ **～てほしい** 〈want someone to ～〉：父は兄に、法律を**勉強してほしい**と思っていました。

Additional Grammar Points

☐ 何も 〈nothing〉：したいことが<u>何も</u>できなくて、兄はかわいそうでした。

Section 1

Personal Narratives

➢ Study and practice saying the text aloud while listening to the audio. Also, practice questioning and answering using the text.

1 リさん

no.2-22

子どものときは、母も父も、やさしかったです。食べたいものは、何でも、**食べさせてくれました**。本なども、買ってくれました。でも、兄には、きびしかったです。したいことが何もできなくて、兄はかわいそうでした。

兄は、野菜がきらいでした。でも、母は兄に、野菜を**食べさせました**。兄は、牛乳もきらいでした。でも、母は、牛乳を**飲ませました**。兄は、ハンバーガーやフライドチキンが食べたかったです。でも、母は、**食べさせませんでした**。兄は、ゲームもしたかったです。でも、母も父も、絶対に**させませんでした**。兄は、勉強があまり好きではありませんでした。勉強よりサッカーの方が好きでした。でも、母は兄に、いっしょうけんめい**勉強させました**。

父も、兄には、きびしかったです。兄は、友だちと外で遊びたかったです。でも、父は、**遊ばせませんでした**。兄は、サッカーのチームに入りたかったです。でも、父は、**入らせませんでした**。父は兄に、毎日**勉強させました**。家庭教師も来ていました。

>>>

子(こ)どものときは、母(はは)も父(ちち)も、やさしかった[kind]です。食(た)べたいもの[foods that I want to eat]は、何(なん)でも、**食べさせてくれました**[kindly let me eat]。本(ほん)なども、買(か)ってくれました。でも、兄(あに)には、きびしかった[strict]です。したいことが<u>何(なに)も</u>できなくて、兄はかわいそう[poor, unfortunate]でした。

兄は、野菜(やさい)[vegetables]がきらい[dislike, hate]でした。でも、母は兄に、野菜を**食べさせました**[forced him to eat]。兄は、牛乳(ぎゅうにゅう)[(cow's) milk]もきらいでした。でも、母は、牛乳を**飲(の)ませました**[forced him to drink]。兄は、ハンバーガー[hamburger]やフライドチキン[fried chicken]が食べたかったです。でも、母は、**食べさせませんでした**[didn't allow him to eat]。兄は、ゲームもしたかったです。でも、母も父も、絶対(ぜったい)に**させませんでした**[never allowed him to do it]。兄は、勉強(べんきょう)があまり好(す)きではありませんでした。勉強よりサッカーの方(ほう)が好きでした。でも、母は兄に、いっしょうけんめい[very hard]**勉強させました**[forced him to work/study]。

父も、兄には、きびしかったです。兄は、友(とも)だちと外(そと)で遊(あそ)びたかったです。でも、父は、**遊ばせませんでした**[didn't allow him to play (with his friends outside)]。兄は、サッカーのチーム[team]に入(はい)り[join]たかったです。でも、父は、**入らせませんでした**[didn't allow him to join]。父は兄に、毎日(まいにち)**勉強させました**。家庭教師(かていきょうし)[(private) tutor]も来(き)ていました。

2 リさん 

no.2-23

中学校に入って、兄はサッカー部に入りました。中学と高校のときは、サッカーばかりしていました。でも、学校の成績はよかったです。だから、父は、何も言いませんでした。

兄は、サッカーが大好きでした。兄は、サッカーの選手になりたかったです。だから、大学に行きたくなかったです。でも、父は兄を、大学に**行かせました**。父は兄に、法律を**勉強してほしい**と思っていました。でも、兄は、大学で経済学を勉強しました。大学のときも、兄はサッカーをしていました。兄は、大学の勉強とサッカーでいそがしかったです。でも、兄は、時々父の仕事を手伝っていました。

父は兄に、自分の仕事を**つがせたかったです**。でも、兄は、大学を卒業して、銀行に入りました。今は、父と兄は、経済やビジネスのことをよく話しています。

\>>

中学校(ちゅうがっこう)[junior high school]に入(はい)って、兄(あに)はサッカー部(ぶ)[soccer team]に入りました。中学(ちゅうがく)と高校(こうこう)のときは、サッカーばかりしていました[did nothing but play soccer]。でも、学校(がっこう)の成績(せいせき)[school performance]はよかったです。だから、父は、何(なに)も[nothing]言(い)いませんでした。

兄は、サッカーが大好(だいす)きでした。兄は、サッカーの選手(せんしゅ)[soccer player]になりたかったです。だから、大学(だいがく)に行(い)きたくなかったです。でも、父は兄を、大学に**行かせました**[forced him to go]。父は兄に、法律(ほうりつ)[law]を**勉強(べんきょう)してほしい**[wanted him to study]と思(おも)っていました。でも、兄は、大学で経済学(けいざいがく)[economics]を勉強しました。大学のときも、兄はサッカーをしていました。兄は、大学の勉強とサッカーでいそがしかったです。でも、兄は、時々(ときどき)父の仕事(しごと)を手伝(てつだ)っていました。

父は兄に、自分(じぶん)の仕事を**つがせたかったです**[wanted him to succeed his work]。でも、兄は、大学を卒業(そつぎょう)[graduate]して、銀行(ぎんこう)に入りました。今(いま)は、父と兄は、経済[economy]やビジネス[business]のことをよく話(はな)しています。

3 あきおさん  >>>>>>>>>>>>>>>>>>>>>>>>>>>>>>>>>>> no.2-24

子どものとき、わたしは、きらいな食べ物がいろいろありました。わたしは、ピーマンとトマトがきらいでした。母はわたしに、ピーマンとトマトを**食べさせようとしました**。でも、わたしは、食べませんでした。牛乳も、きらいでした。母はわたしに、牛乳を**飲ませようとしました**。でも、わたしは飲みませんでした。

わたしは、ハンバーガーとコーラが大好きでした。でも、母は、ハンバーガーを**食べさせてくれませんでした**。コーラも、**飲ませてくれませんでした**。母は、「ハンバーガーやコーラは、体によくない」と言いました。でも、わたしは、こっそり(in secret)、友だちといっしょに、ハンバーガーを食べに行きました。

子どものとき、わたしは、きらいな食べ物がいろいろありました。わたしは、ピーマンとトマトがきらいでした。母はわたしに、ピーマンとトマトを**食べさせようとしました**。でも、わたしは、食べませんでした。牛乳も、きらいでした。母はわたしに、牛乳を**飲ませようとしました**。でも、わたしは飲みませんでした。

わたしは、ハンバーガーとコーラが大好きでした。でも、母は、ハンバーガーを**食べさせてくれませんでした**。コーラも、**飲ませてくれませんでした**。母は、「ハンバーガーやコーラは、体によくない」と言いました。でも、わたしは、こっそり、友だちといっしょに、ハンバーガーを食べに行きました。

Section 2 | Summary of the Main Grammar Points

➢ Study the expressions while refering back to the narratives in Section 1.

(1) Causative Expression

(食べる ⇒ 食べさせる)

1. 兄(あに)は、野菜(やさい)がきらいでした。でも、母(はは)は兄に、野菜を**食(た)べさせ**ました。

(飲む ⇒ 飲ませる)

2. 兄は、牛乳(ぎゅうにゅう)もきらいでした。でも、母は兄に、牛乳を**飲(の)ませ**ました。

3. 母は兄に、ハンバーガーやフライドチキンを**食べさせ**ませんでした。

(する ⇒ させる)

4. 父(ちち)も母も兄に、絶対(ぜったい)にゲームを**させ**ませんでした。

(勉強する ⇒ 勉強させる)

5. 母は兄に、いっしょうけんめい**勉強(べんきょう)させ**ました。

(遊ぶ ⇒ 遊ばせる)

6. 父は兄に、外(そと)で**遊(あそ)ばせ**ませんでした。

(入る ⇒ 入らせる)

7. 父は兄に、サッカーのチームに**入(はい)らせ**ませんでした。

8. 父は兄に、毎日(まいにち)**勉強させ**ました。

(行く ⇒ 行かせる)

9. 父は兄を、大学(だいがく)に**行(い)かせ**ました。

(つぐ ⇒ つがせる)

10. 父は兄に、自分(じぶん)の仕事(しごと)を**つがせ**たかったです。

(2) ～(さ)せてくれました

1. (母(はは)は)食(た)べたいものは、何(なん)でも、**食べさせてくれ**ました。

2. 母は、(わたしに)ハンバーガーを**食べさせてくれ**ませんでした。

コーラも、**飲(の)ませてくれ**ませんでした。

(3) ～(さ)せようとしました

1. 母(はは)はわたしに、ピーマンとトマトを**食(た)べさせようとし**ました。

2. 母はわたしに、牛乳(ぎゅうにゅう)を**飲(の)ませようとし**ました。

(4) ～てほしい

1. 父(ちち)は兄(あに)に、法律(ほうりつ)を**勉強(べんきょう)してほしい**と思(おも)っていました。

The Gist of Japanese Grammar

(1) Causative Expression

As you would have understood while studying the uses in the text in Section 1, causative expressions presuppose asymmetrical power relations between person A and person B, i.e. B's action is under the control of A. Therefore, causative expressions can mean either '**A makes/has B do something**' or '**A allows/permits B to do something**' depending on the context. In the examples below 〈person A〉 is the mother (母) or the father (父). Study the following examples cited from the text:

1. 母は兄に、野菜を**食べさせました**。
2. 兄は、友だちと外で遊びたかったです。でも、父は、**遊ばせませんでした**。

Causative expressions are typically constructed using transitive verbs. In these cases the person who is made or allowed to do something is indicated with 'に'. However, causative expressions may also be constructed using intransitive verbs. In these cases 'を' instead of 'に' is often used as in '父は兄を、大学に行かせました。'.

(2) ～(さ)せてくれました and ～(さ)せてくれませんでした

～(さ)せてくれます is a combination of **～(さ)せる and ～てくれる**. While ～(さ)せる is a causative expression, ～てくれる may be translated as '～ is/are kind enough to ～' or '～ kindly ～' as is explained in the Gist of Japanese Grammar of Unit 18. So, **～(さ)せてくれました** will be roughly translated as '～ was/were kind/generous enough to let me ～'. Study the following examples:

1. (母はわたしに、)食べたい物は、何でも、**食べさせてくれました**。(**1** リさん)

～(さ)せてくれませんでした is the negative form of ～(さ)せてくれました. Therefore, the meaning of the sentence will be '～ was/were not kind/generous enough to let me ～'. Study the following examples:

2. わたしは、ハンバーガーが大好きでした。でも、母は、(わたしに、)ハンバーガーを**食べさせてくれませんでした**。(**3** あきおさん)
3. わたしは、コーラが大好きでした。でも、母は、(わたしに、)コーラを**飲ませてくれませんでした**。(**3** あきおさん)

(3) ～(さ)せようとしました

～(さ)せようとしました is a combination of **～(さ)せる and ～ようとする**. While ～(さ)せる is a causative expression, ～ようとする may be roughly translated as 'try to ～'. So, **～(さ)せようとしました** will be roughly translated as '**tried to force someone to** ～' or '**insisted that** ～'. Study the following examples from the text:

1. 母はわたしに、ピーマンとトマトを**食べさせようとしました**。でも、わたしは、食べませんでした。(**3** あきおさん)

2. 母はわたしに、牛乳を**飲ませようとしました**。でも、わたしは、飲みませんでした。(**3** あきおさん)

Please note that the person who is forced or urged to do something is indicated with ‘に’.

(4) 〜てほしいです and 〜てほしいと思っています

As you have already studied in Unit 15, ほしい means ‘want 〜’ as in ‘子どもは、2人くらいほしいです。’(p.22, l.12). **〜てほしいです** means ‘**want someone to** 〜’. Therefore, ‘父は兄に、法律を勉強してほしいです。’ means ‘Dad wants my elder brother to study law.’. Also, 〜と思っています is very often added to 〜てほしい(です). So, ‘父は兄に、法律を勉強してほしいと思っていました。’ may simply be translated as ‘Dad wanted my elder brother to study law.’.

(5) 何でも vs. 何も

While **何でも**, as in ‘日本の食べ物は、何でも食べられます。’(p30, l.4), may be translated as ‘anything’, **何も**, as in ‘父は、兄に、何も言いませんでした。’, can be roughly translated as ‘nothing’. Study the following examples:

1. a) 日本の食べ物は、**何でも**食べられます。
   b) 日本の食べ物は、**何も**食べられません。
2. a) 食べたいものは、**何でも**、食べさせてくれました。
   b) 一日中(all day long)、**何も**、食べさせてくれませんでした。
3. a) わたしは、したいことが**何でも**できました。
   b) 兄は、したいことが**何も**できませんでした。
4. a) わたしは妻に**何でも**話します。
   b) 父は、兄に、**何も**言いませんでした。

Please note that 何も is followed by a negative predicate as indicated with the underline. Also, similar relationship holds between **誰でも** and **誰も** and **どこにでも** and **どこにも**.

5. a) カップラーメンは、**誰でも**作れます。(Anybody can prepare an instant cup noodle.)
   b) **誰も**手伝ってくれませんでした。(Nobody helped me.)
6. a) **誰でも**参加することができます。(Anyone can participate.)
   b) **誰も**来ませんでした。(Nobody came.)
7. a) コンビニは、**どこにでも**あります。(You will find a convenience store anywhere.)
   b) きのうは、**どこにも**行きませんでした。(I went nowhere yesterday.)

Essay Writing

➢Write your own personal narrative using the texts in Section 1 as models.

Unit 22 Someone Forces / Allows Me

しつけ（2）

Theme

□ **Talking about an experience in which one is forced to do something**

Main Grammar Points

□ **Causative-Passive Expression**：Being forced to do something

ex. わたしは、（母(はは)に、）野菜(やさい)を**食(た)べさせられました**。
わたしは、（母(はは)に、）牛乳(ぎゅうにゅう)をたくさん**飲(の)まされました**。

□ **Expressions about Changes of State / Ability / Customs / Practices**

（1）**Change of State**：～くなりました / ～になりました

ex. 漢字(かんじ)の勉強(べんきょう)も、**楽(たの)しくなりました**。
本(ほん)を読(よ)むことも**好(す)きになりました**。

（2）**Change of Ability**：～〈できる〉ようになりました / ～〈できなく〉なりました

ex. 漢字(かんじ)を上手(じょうず)に**書(か)けるようになりました**。

（3）**Change of Customs / Practices**：～(する)ようになりました / ～なくなりました

ex. 結婚(けっこん)してから、**料理(りょうり)をするようになりました**。(Unit 16, p.32)
自分(じぶん)で本(ほん)を買(か)って、**読(よ)むようになりました**。
好(す)きだったマンガは、**読まなくなりました**。

Additional Grammar Points

□ ～のおかげで〈thanks to ～〉：先生(せんせい)のおかげで、漢字(かんじ)をよく覚(おぼ)えました。

Section 1

Personal Narratives

➢ Study and practice saying the text aloud while listening to the audio. Also, practice questioning and answering using the text.

1 あきおさん

>>>>>>>>>>>>>>>>>>>>>>>>>>>>>>>>>>>> no.2-25

小学校２年生のときの先生は、とてもきびしかったです。わたしたちは、漢字を何回も何回も**書かされました**。１日に漢字を10個、**覚えさせられました**。漢字の小テストも、毎日ありました。短い読み物を、毎日、**読まされました**。学校で、みんなで声を出して読んで、うちで、父や母の前で音読をしました。そして、学校で、もう一度音読を**させられました**。そして、１週間に１回は、読み物の感想文 (write our impressions) を**書かされました**。１週間に１回、日記も、**書かされました**。計算の練習も、たくさん**させられました**。でも、先生のおかげで、漢字をよく覚えました。そして、上手に**書けるようになりました**。漢字の勉強も、楽しくなりました。本を読むことも**好きになりました**。計算も、**速くなりました**。

先生は、きびしかったですが、休み時間はよくいっしょに遊んでくれました。わたしは２年生のときの先生が大好きです。

>>>

小学校(しょうがっこう)2年生(ねんせい)のときの先生(せんせい)は、とてもきびしかったです。わたしたちは、漢字(かんじ)を何回(なんかい)も何回も[over and over again]**書(か)かされました**[we were instructed(or forced) to write]。1日に漢字を10個(こ)、**覚(おぼ)えさせられました**[we were instructed (or forced) to memorize]。漢字の小(しょう)[quiz]テストも、毎日(まいにち)ありました。短(みじか)い読(よ)み物(もの)[short passage]を、毎日、**読まされました**[we were instructed(or forced) to read]。学校(がっこう)で、みんなで声(こえ)[voice]を出(だ)して読んで、うちで、父(ちち)や母(はは)の前(まえ)で音読(おんどく)[read aloud]をしました。そして、学校で、もう一度(いちど)音読を**させられました**。そして、1週間(いっしゅうかん)に1回(いっかい)は、読み物の感想文(かんそうぶん)[(write our impressions)]を**書かされました**。1週間に1回、日記(にっき)[diary]も、**書かされました**。計算(けいさん)[calculation]の練習(れんしゅう)[practice, exercise]も、たくさん**させられました**。でも、先生のおかげで[thanks to the teacher]、漢字をよく覚(おぼ)えました。そして、上手(じょうず)に**書けるようになりました**[became able to write]。漢字の勉強(べんきょう)も、**楽(たの)しくなりました**[became fun]。本(ほん)を読むことも**好(す)きになりました**[got to like]。計算も、**速(はや)くなりました**[became faster]。

先生は、きびしかったですが、休(やす)み時間(じかん)[break, recess]はよくいっしょに遊んでくれました。わたしは2年生のときの先生が大(だい)好きです。

2 西山先生 にしやませんせい

>>>>>>>>>>>>>>>>>>>>>>>>>>>>>>>>>>> no.2-26

子どものとき、母は、とてもきびしかったです。わたしは、野菜があまり好きではありませんでした。さしみは好きでしたが、焼き魚はきらいでした。でも、わたしは、野菜を**食べさせられました**。焼き魚も、**食べさせられました**。わたしは、牛乳も好きではありませんでした。でも、牛乳をたくさん**飲まされました**。野菜ジュースも**飲まされました**。

本も、たくさん**読まされました**。わたしは、勉強より外で遊ぶことの方が好きでした。でも、母は遊びに行かせてくれませんでした。そして、わたしは、勉強ばかり**させられました**。塾にも、**行かされました**。

でも、母のおかげで、わたしは、何でも**食べられるようになりました**。魚の食べ方も、**上手になりました**。牛乳を毎日**飲むようになりました**。野菜ジュースも**好きになりました**。そして、自分で本を買って、**読むようになりました**。好きだったマンガは、**読まなくなりました**。

子（こ）どものとき、母（はは）は、とてもきびしかったです。わたしは、野菜（やさい）があまり好（す）きではありませんでした。さしみは好きでしたが、焼（や）き魚（ざかな）はきらいでした。でも、わたしは、野菜を**食（た）べさせられました**（was forced to eat）。焼き魚も、**食べさせられました**。わたしは、牛乳（ぎゅうにゅう）も好きではありませんでした。でも、牛乳をたくさん**飲（の）まされました**。野菜ジュース（vegetable juice）も**飲まされました**。

本（ほん）も、たくさん**読（よ）まされました**。わたしは、勉強（べんきょう）より外（そと）で遊（あそ）ぶことの方（ほう）が好きでした。でも、母は遊びに**行（い）かせてくれませんでした**（let me go）。そして、わたしは、勉強ばかり**させられました**（I was forced to concentrate on school work）。塾（じゅく）（cram school）にも、**行かされました**（was forced to go/attend）。

でも、母のおかげで（thanks to my mother）、わたしは、何（なん）でも**食べられるようになりました**（became able to eat anything）。魚（さかな）の食べ方（かた）も、**上手（じょうず）になりました**（become skilled）。牛乳を毎日（まいにち）**飲むようになりました**。野菜ジュースも**好きになりました**（got to like）。そして、自分（じぶん）で本を買（か）って、**読むようになりました**。好きだったマンガは、**読まなくなりました**（stopped reading）。

Section 2 Summary of the Main Grammar Points

➢ Study the expressions while refering back to the narratives in Section 1.

(1) Causative-Passive Expression

(書く ⇒ 書かされる)
1. わたしたちは、漢字を何回も**書かされました**。

(覚える ⇒ 覚えさせられる)
2. 1日に漢字を10個、**覚えさせられました**。

(読む ⇒ 読まされる)
3. わたしたちは、短い読み物を、毎日、**読まされました**。

(する ⇒ させられる)
4. 計算の練習も、たくさん**させられました**。

(食べる ⇒ 食べさせられる)
5. わたしは母に、野菜を**食べさせられました**。
焼き魚も、**食べさせられました**。

(飲む ⇒ 飲まされる)
6. わたしは母に、牛乳を**飲まされました**。
7. わたしは母に、本をたくさん**読まされました**。

(勉強する ⇒勉強させられる)　(行く ⇒ 行かされる)
8. わたしは、勉強ばかり**させられました**。塾にも、**行かされました**。

(2) Expressions about Changes of State / Ability / Customs / Practices

1. ～くなりました／～になりました

a. 漢字の勉強も**楽しくなりました**。
b. 本を読むことも**好きになりました**。
c. 計算も、**速くなりました**。
d. 魚の食べ方も、**上手になりました**。
e. 野菜ジュースも**好きになりました**。

2. ～〈できる〉ようになりました／～〈できなく〉なりました

a. 先生のおかげで、漢字を上手に**書けるようになりました**。
b. 母のおかげで、わたしは、何でも**食べられるようになりました**。

3. ～(する)ようになりました／～なくなりました

a. 結婚(けっこん)してから、**料理(りょうり)をするようになりました**。(Unit 16, p.32)

b. 自分(じぶん)で本(ほん)を買(か)って、**読(よ)むようになりました**。

c. 好(す)きだったマンガは、**読まなくなりました**。

Unit 22

The Gist of Japanese Grammar

(1) Causative-Passive Expression

While causative expressions are used to mean either 'A makes/has B to do something' or 'A allows/permits B to do something' depending on the context, causative-passive expressions are used to mean **'B is made/forced to do something by A'**.

In order to form causative-passive verb phrases with inflectional verbs, change them into **ない-form and add される**, with an exception of 話(はな)す which requires せられる rather than される to be added after ない-form.

か-line	さ-line	た-line	ま-line	ら-line	わ-line
書か<u>される</u>	*話さ<u>せられる</u>	待た<u>される</u>	読ま<u>される</u>	作ら<u>される</u>	買わ<u>される</u>
↑	↑	↑	↑	↑	↑
ka	sa	ta	ma	ra	wa
書かない	話さない	待たない	読まない	作らない	買わない
↑	↑	↑	↑	↑	↑
書(か)き~~ます~~	話(はな)し~~ます~~	待(ま)ち~~ます~~	読(よ)み~~ます~~	作(つく)り~~ます~~	買(か)い~~ます~~
ki	shi (si)	chi (ti)	mi	ri	i (wi)

In case of stem verbs, just **add させられる to the stem**. Causative-passive verb phrases of する and 来る are **させられる** and **来させられる** respectively.

The person who forces the action (A) is indicated by に. Study the following examples cited from the text with some modifications:

1. わたしたちは、先生(せんせい)に、漢字(かんじ)を何回(なんかい)も書(か)かされました。(❶ あきおさん)
2. わたしたちは、先生に、1日(にち)に漢字を10個(こ)、覚(おぼ)えさせられました。(❶ あきおさん)
3. わたしは、母(はは)に、野菜(やさい)を食(た)べさせられました。(❷ 西山先生(にしやませんせい))
4. わたしは、母に、牛乳(ぎゅうにゅう)をたくさん飲(の)まされました。(❷ 西山先生)

(2) Expressions about Changes of State / Ability / Customs / Practices

～(ように)なりました expresses **changes of state/ability/customs/practices**. Study the following examples:

□ Changes of State

楽しい ↓

1. (先生のおかげで、) 漢字の勉強も、楽し<u>く</u>**なりました**。

好きな ↓

2. (先生のおかげで、) 本を読むことも好き<u>に</u>**なりました**。

□ Changes of Ability

1. (先生のおかげで、) 漢字を上手に書ける<u>ように</u>**なりました**。
2. 母のおかげで、わたしは、何でも食べられる<u>ように</u>**なりました**。

□ Changes of Customs or Practices

1. 自分で本を買って、読む<u>ように</u>**なりました**。

読まない ↓

2. 好きだったマンガは、読ま<u>なく</u>**なりました**。

Please pay attention to the change of the verb forms and the addition of ように as is emphasized by underlining.

Essay Writing

➢Write your own personal narrative using the texts in Section 1 as models.

Unit 23

Miserable Experiences

ひどい経験(けいけん)

Theme

□ **Talking about miserable experiences**

Main Grammar Points

□ **Passive Expression B**：Receiving another 〈person〉's physical action

ex. 飛行機(ひこうき)の中(なか)で、女(おんな)の人(ひと)に足(あし)を**踏(ふ)まれました**。

妹(いもうと)は、サイフを**盗(ぬす)まれました**。

□ **～てしまう**〈mistakenly, unfortunately ～〉：辞書(じしょ)をうちに**忘(わす)れてしまいました**。

□ **～(する)と**① 〈When ～〉：道(みち)を歩(ある)いている**と**、急(きゅう)に犬(いぬ)にほえられました。

Additional Grammar Points

□ ～ようです 〈It seems that ～〉：教室(きょうしつ)に、カがいたようです。

□ ～(する)ことになりました 〈It was decided that ～〉：わたしたちは、別(べつ)の部屋(へや)に移(うつ)ることになりました。

□ すると 〈then〉：すると、スーツケースがこわれていました。

□ そこ 〈that place〉：妹(いもうと)は、そこでサイフを盗(ぬす)まれました。

Section 1

Personal Narratives

➢ Study and practice saying the text aloud while listening to the audio. Also, practice questioning and answering using the text.

1 リさん

>> no.2-27

　きのうは、ひどい一日でした。いつもとちがう道を歩いていると、急に犬に**ほえられました**。びっくりしました。学校に着いて、かばんをあけると、辞書がありませんでした。辞書をうちに**忘れてしまいました**。授業では、先生に**あてられました**が、答えられませんでした。そして、教室に、カがいたようです。わたしも、友だちも、足や手をカに**さされました**。とても、かゆかったです。学校から帰るときは、ハチに**追いかけられました**。こわかったです。そして、寮に帰ったとき、寮の階段で**転んでしまいました**。きのうは、本当にひどい一日でした。

Unit 23

>>

miserable day　usual　different street/path
きのうは、ひどい一日(いちにち)でした。いつもとちがう道(みち)を歩(ある)いてい

when　suddenly　I was barked at by a dog　I was startled
ると、急(きゅう)に犬(いぬ)に**ほえられました**。びっくりしました。学校(がっこう)に着(つ)

bag　dictionary
いて、かばんをあけると、辞書(じしょ)がありませんでした。辞書をう

forgot to bring　I was called by the teacher
ちに**忘(わす)れてしまいました**。授業(じゅぎょう)では、先生(せんせい)に**あてられました**が、

I could not answer (her question)　mosquito　it seems
答(こた)えられませんでした。そして、教室(きょうしつ)に、カがいたようです。

leg(s)　were bitten by mosquitoes　itchy
わたしも、友(とも)だちも、足(あし)や手(て)をカに**さされました**。とても、か

I was chased by a bee
ゆかったです。学校から帰(かえ)るときは、ハチに**追(お)いかけられまし**

I was frightened　dormitory　stairs
た。こわかったです。そして、寮(りょう)に帰(かえ)ったとき、寮の階段(かいだん)で

stumble
転(ころ)んでしまいました。きのうは、本当(ほんとう)にひどい一日でした。

2 あきおさん  >>>>>>>>>>>>>>>>>>>>>>>>>>>>>>>>>>> no.2-28

年末の家族旅行は、ひどい経験が多かったです。わたしは、飛行機の中で、女の人に足を**踏まれました**。ハイヒールだったので、とても痛かったです。着いた夜に、わたしたちはナイトマーケットに行きました。妹は、そこでサイフを**盗まれました**。幸い(fortunately)、お金はあまり入っていませんでした。次の日、わたしたちはバスツアーに行きました。でも、わたしたちが乗っていたバスは、途中でエンジンが止まって、動かなくなりました。わたしたちは、道の真ん中(middle)で2時間**待たされました**。そして、別のバスに**乗せられました**。

バスツアーの後、わたしたちはホテルに帰って、休みました。しばらく休んでいる**と**、急に変な音がして、エアコンが**止まってしまいました**。修理に来てもらいましたが、直りませんでした。それで、わたしたちは、別の部屋に移ることになりました。

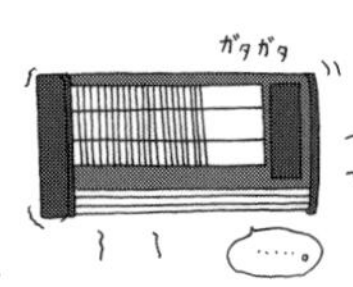

日本に帰ってきて、空港でスーツケースを受け取りました。すると、スーツケースがこわれていました。母が**ロックをしてしまった**ので、セキュリティの人にスーツケースのカギ(lock)を**こわされた** **よう**です。

いろいろなことがあったので、みんなつかれました。

\>>

year-end / miserable experience
年末（ねんまつ）の家族旅行（かぞくりょこう）は、ひどい経験（けいけん）が多（おお）かったです。わたしは、

airplane / I had my toe stepped on by a woman / high heels
飛行機（ひこうき）の中（なか）で、女（おんな）の人（ひと）に足（あし）を**踏（ふ）まれました**。ハイヒールだった

painful / the night we arrived / night-market
ので、とても痛（いた）かったです。着（つ）いた夜（よる）に、わたしたちはナイト

that place, there / stolen
マーケットに行（い）きました。妹（いもうと）は、<u>そこ</u>でサイフを**盗（ぬす）まれまし**

(fortunately) / there was not a lot of money in the wallet / the following day
た。幸（さいわ）い、お金（かね）はあまり入（はい）っていませんでした。次（つぎ）の日（ひ）、わた

bus tour
したちはバスツアーに行きました。でも、わたしたちが乗（の）って

on the way / engine / stopped / got unable to go on
いたバスは、途中（とちゅう）でエンジンが止（と）まって、動（うご）かなくなりました。

(middle) / was made to wait for
わたしたちは、道（みち）の真（ま）ん中（なか）で２時間（じかん）**待（ま）たされました**。そして、

we were taken in another bus
別（べつ）のバスに**乗せられました**。

took a rest
バスツアーの後（あと）、わたしたちはホテルに帰（かえ）って、休（やす）みました。

for a while / suddenly / a strange sound / air-conditioner
しばらく休んでいる**と**、急（きゅう）に変（へん）な音（おと）がして、エアコンが止（と）まっ

repair / could not be repaired
てしまいました。修理（しゅうり）に来（き）てもらいましたが、直（なお）りませんでし

move / it was decided that~
た。それで、わたしたちは、別の部屋（へや）に移（うつ）る<u>ことになりました</u>。

received
日本に帰ってきて、空港（くうこう）でスーツケースを受（う）け取（と）りました。

then / was broken / mistakenly locked it
<u>すると</u>、スーツケースがこわれていました。母（はは）が**ロックをして**

the lock of our suitcase was broken by the security officer / (lock) / was broken
しまったので、セキュリティの人にスーツケースのカギを**こわ**

it seems
された **ようです**。

everyone of us was tired
いろいろなことがあったので、みんなつかれました。

Summary of the Main Grammar Points

➢ Study the expressions while refering back to the narratives in Section 1.

(1) Passive Expression B

(ほえる⇒ほえられる)

1. 道(みち)を歩(ある)いていると、急(きゅう)に犬(いぬ)に**ほえられました**。

(あてる⇒あてられる)

2. 授業(じゅぎょう)では、先生(せんせい)に**あてられました**。

(さす⇒さされる)

3. わたしも、友(とも)だちも、カに**さされました**。

(追いかける⇒追いかけられる)

4. 学校(がっこう)から(うちに)帰(かえ)るときは、ハチに**追(お)いかけられました**。

(踏む⇒踏まれる)

5. わたしは、飛行機(ひこうき)の中(なか)で、女(おんな)の人(ひと)に足(あし)を**踏(ふ)まれました**。

(盗む⇒盗まれる)

6. 妹(いもうと)は、ナイトマーケットで、サイフを**盗(ぬす)まれました**。

(待たす⇒待たされる)　(乗せる⇒乗せられる)

7. わたしたちは、道の真(ま)ん中(なか)で2時間(じかん)**待(ま)たされました**。そして、別(べつ)のバスに**乗(の)せられました**。

(こわす⇒こわされる)

8. セキュリティの人にスーツケースのカギを**こわされました**。

(2) ～てしまう

(忘れる)

1. 辞書(じしょ)をうちに**忘(わす)れてしまいました**。

(転ぶ)

2. 寮(りょう)の階段(かいだん)で**転(ころ)んでしまいました**。

(止まる)

3. 急(きゅう)に変(へん)な音(おと)がして、エアコンが**止(と)まってしまいました**。

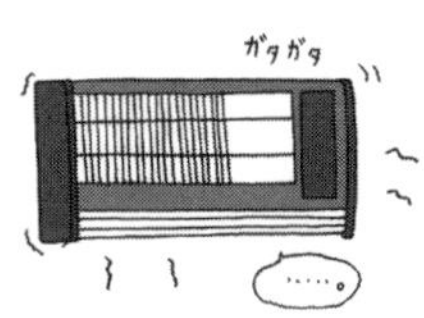

(ロックする)

4. 母(はは)はスーツケースを**ロックしてしまいました**。

(3) ～(する)と①

1. 道(みち)を歩(ある)いている**と**、急(きゅう)に犬(いぬ)にほえられました。
2. カバンをあける**と**、辞書(じしょ)がありませんでした。
3. しばらく休(やす)んでいる**と**、急に変(へん)な音(おと)がして、エアコンが止(と)まってしまいました。

The Gist of Japanese Grammar

(1) ～に：indicating the source/cause of suffering in question within passive expression

～に is used in order to indicate the source/cause of suffering in questions within passive expressions. Study the following examples cited from the texts:

1. 道を歩いていると、急に犬にほえられました。(**1** リさん)
2. わたしは、飛行機の中で、女の人に足を踏まれました。(**2** あきおさん)

(2) ～てしまいました

～てしまいました usually does not add any substantial meaning. It suggests that the action/phenomenon is beyond the person/speaker's control, implying that the action was done mistakenly or was unfortunate. Study the following examples cited from the text :

1. 辞書をうちに忘れ**てしまいました**。(I mistakenly left my dictionary in my room.)
2. 寮の階段で転ん**でしまいました**。(Unfortunately, I fell down in the stairs in the dormitory.)

(3) ～(する)と①

～(する)と in the following sentences may be roughly translated as '**when** ～ '. The content of the main sentence is usually an unexpected experience or a discovery.

1. 道を歩いている**と**、急に犬にほえられました。(**1** リさん)
2. カバンをあける**と**、辞書がありませんでした。(**1** リさん)

You will also study **another use of ～(する)と**, which expresses natural cause and effect relationships, in the next unit.

(4) ～ようです

In saying '教室に、カがいた**ようです**。' Li-*san* implies that she didn't find any mosquitoes but she was bitten by a mosquito. ～ようです is usually translated as '**it seems that** ～ '.

You may also say '教室に、カがいた**みたいです**。' in the same context. ～ようです sounds somewhat reserved, and ～みたいです is used more often in conversations.

～のような and **～みたいな** are expressions meaning '**～-like**'. Study the following examples:

1. わたしの彼は、スーパーマン**のような**人です。
   (My boyfriend is a person like Superman.)
2. モルジブは、天国**のような**ところです。
   (Maldives is like heaven.)
3. ドラえもん**みたいな**ロボットがほしいです。
   (I want a robot like Doraemon.)

(5) ～(する)ことになりました

～することになりました may simply be translated as **'it has been decided that ～'**. Study the following excerpt cited from the text:

1. わたしたちは、別(べつ)の部屋(へや)に移(うつ)る**ことになりました**。

Another related expression is **～(する)ことにしました** which may roughly translated as **'(finally) decided to ～'** implying that the decision is made after careful consideration. Study the following example,

2. わたしは、今(いま)の彼(かれ)と結婚(けっこん)する**ことにしました**。
   (I (finally) decided to get married with current boyfriend.)

Essay Writing

➢Write your own personal narrative using the texts in Section 1 as models.

Unit 24 Geography, Linguistics, and Climate

言語(げんご)・地理(ちり)・気候(きこう)

Theme

☐ **Talking about a country's geography, linguistics, and climate**

Main Grammar Points

☐ **Passive Expression C**: Academic passive

ex. 日本では、日本語が**話(はな)されています**。

日本語では、ひらがなとカタカナと漢字(かんじ)が**使(つか)われています**。

☐ **～(する)と②** 〈When / If ～〉: 春(はる)になる**と**、あたたかくなります。

Additional Grammar Points

☐ ～が(～で)一番(いちばん)～ 〈～ is the most ～ (in / among ～)〉:

ゴールデンウィークのころが、一年(ねん)で一番気持(きも)ちがいいです。

☐ ～ても 〈wherever / whenever / whoever / etc.～〉: どこに行(い)っても、日本語が話(はな)されています。

☐ ～しか(～ません) 〈nothing but ～〉: 日本人は、ずっと日本語しか知(し)りません。

Section 1

Personal Narratives

➤ Study and practice saying the text aloud while listening to the audio. Also, practice questioning and answering using the text.

1 西山先生
にしやませんせい

no.2-29

Nishiyama-*sensee* talks about the Japanese language and English competence of Japanese people.

日本では、昔から日本語が**話されています**。今も、どこに行っても、日本語が**話されています**。

昔、日本語には文字がありませんでした。今、日本語では、ひらがなと、カタカナと、漢字が**使われています**。漢字は、5000年くらい前に、中国で**発明されました**。今から1500年くらい前に日本に来ました。そして、日本語の文字になりました。ひらがなとカタカナは、漢字から**作られました**。ひらがなは、漢字を簡単にして**作られました**。カタカナは、漢字の一部を使って**作られました**。

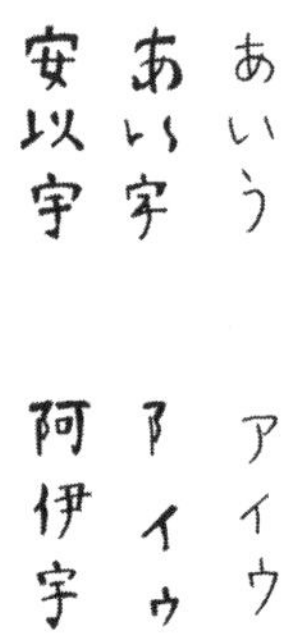

日本人は、ずっと日本語しか知りませんから、外国語が苦手です。小学校から大学まで約10年間英語を勉強しますが、英語が話せる人は少ないです。英語の勉強の仕方の本がたくさん**出版されています**。そして、よく**読まれています**。でも、日本人は、なかなか英語が上手になりません。

>>

ancient times / has been spoken / wherever you go, everywhere / is spoken

日本では、昔(むかし)から日本語が**話(はな)されています**。今(いま)も、どこに行(い)っても、日本語が**話されています**。

writing, writing system, character / are used / was invented / were created / simplify / a part of a *kanji* character

昔、日本語には文字(もじ)がありませんでした。今、日本語では、ひらがなと、カタカナと、漢字(かんじ)が**使(つか)われています**。漢字は、5000年(ねん)くらい前(まえ)に、中国(ちゅうごく)で**発明(はつめい)されました**。今から1500年くらい前に日本に来(き)ました。そして、日本語の文字になりました。ひらがなとカタカナは、漢字から**作(つく)られました**。ひらがなは、漢字を簡単(かんたん)にして**作られました**。カタカナは、漢字の一部(いちぶ)を使って**作られました**。

Since Japanese is the sole language that the people of Japan have known (and used) / bad at / approximately / how to (do sth.) / are published / they are widely read / do not become proficient in English easily

日本人は、ずっと日本語しか知(し)りませんから、外国語(がいこくご)が苦手(にがて)です。小学校(しょうがっこう)から大学(だいがく)まで約(やく)10年間(ねんかん)英語(えいご)を勉強(べんきょう)しますが、英語が話せる人(ひと)は少(すく)ないです。英語の勉強の仕方(しかた)の本(ほん)がたくさん**出版(しゅっぱん)されています**。そして、よく**読(よ)まれています**。でも、日本人は、なかなか英語が上手(じょうず)になりません。

2 西山先生 にしやませんせい

>>>>>>>>>>>>>>>>>>>>>>>>>>>>>>>>>>>>>> no.2-30

Nishiyama-*sensee* talks about the climate of Japan.

日本は、アジアのモンスーン地域(monsoon zone)にあります。日本の国は、長くて細いです。そして、70%以上は山です。日本は、海に**囲まれている**ので、昔から漁業がさかん(affluent fishing industry)です。

日本では、4つの季節があります。冬は、寒いですが、春になる**と**、あたたかくなります。あたたかくなる**と**、いろいろな花がさきます。2月の終わりから3月には、ウメ(Japanese plum)の花がさきます。そして、4月になる**と**、日本全国で、サクラ(cherry blossom)がさきます。山も街も、ピンクにそまります(be dyed pink)。5月は、あたたかくていい天気が続きます。5月のゴールデンウィークのころが、一年で一番気持ちがいいです。

6月には、梅雨になります。梅雨になる**と**、ほとんど毎日、雨が降ります。一年で一番いやな季節です。梅雨が終わる**と**、夏になります。夏はとても暑いですが、みんな海や山に行きます。夏が終わって、秋になる**と**、すずしくなります。そして、11月ごろになる**と**、山や街の木の葉が赤や黄色に変わります。山も、街も、紅葉に**つつまれます**。春もいい季節ですが、秋もとてもいい季節です。

\>>

Asia (monsoon zone) is located in
日本は、アジアのモンスーン地域(ちいき)にあります。日本の国(くに)は、
narrow / more than seventy percent (of the area) / is surrounded
長(なが)くて細(ほそ)いです。そして、70％(パーセント)以上(いじょう)は山(やま)です。日本は、海(うみ)に**囲(かこ)**
by the sea / (affluent fishing industry)
まれているので、昔(むかし)から漁業(ぎょぎょう)がさかんです。

four seasons
日本では、4つの季節(きせつ)があります。冬(ふゆ)は、寒(さむ)いですが、春(はる)に
get warm / when it gets warm
なる**と**、あたたかくなります。あたたかくなる**と**、いろいろな
bloom / end / (Japanese plum)
花(はな)がさきます。2月(がつ)の終(お)わりから3月には、ウメの花がさきま
when April comes / all over Japan / (cherry blossom)
す。そして、4月になる**と**、日本全国(ぜんこく)で、サクラがさきます。
towns / (be dyed pink) / weather
山(やま)も街(まち)も、ピンクにそまります。5月は、あたたかくていい天(てん)
continues / Golden Week (holidays) / at around that time / most
気(き)が続(つづ)きます。5月のゴールデンウィークのころ<u>が</u>、一年(ねん)で<u>一(いち)</u>
pleasant, comfortable
<u>番(ばん)</u>気(き)持(も)ちがいいです。

rainy season / almost
6月には、梅雨(つゆ)になります。梅雨になる**と**、ほとんど毎日(まいにち)、
unpleasant
雨(あめ)が降(ふ)ります。一年で<u>一番</u>いやな季節です。梅雨が終(お)わる**と**、
sea, beach
夏(なつ)になります。夏はとても暑(あつ)いですが、みんな海や山に行(い)きま
it gets cool
す。夏が終わって、秋(あき)になる**と**、すずしくなります。そして、
leaves of the trees turn red or yellow
11月ごろになる**と**、山や街の木(き)の葉(は)が赤(あか)や黄色(きいろ)に変(か)わります。
tinted autumnal leaves / ┌ is covered with, gets full of
山も、街も、紅葉(こうよう)に**つつまれます**。春もいい季節ですが、秋も
とてもいい季節です。

Section 2　Summary of the Main Grammar Points

➢ Study the expressions while refering back to the narratives in Section 1.

(1) Passive Expression C 〈Accademic passive〉

（話す ⇒ 話される）

1. 日本では、昔から日本語が**話されています。**
2. 今も、どこに行っても、日本語が**話されています。**

（使う ⇒ 使われる）

3. 日本語では、ひらがなと、カタカナと、漢字が**使われています。**

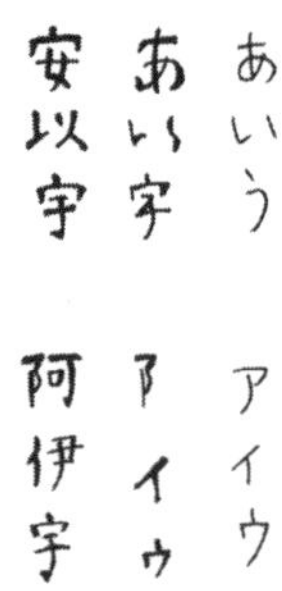

（発明する ⇒ 発明される）

4. 漢字は、5000年くらい前に、中国で**発明されました。**

（作る ⇒ 作られる）

5. ひらがなとカタカナは、漢字から**作られました。**

（出版する ⇒ 出版される）

6. （日本では）英語の勉強の仕方の本がたくさん**出版されています。**

（読む ⇒ 読まれる）

7. 英語の勉強の仕方の本は、よく**読まれています。**

（囲む ⇒ 囲まれる）

8. 日本は、海に**囲まれています。**

（つつむ ⇒ つつまれる）

9. 山も、街も、紅葉に**つつまれます。**

(2) ～(する)と② 〈When / If ～〉

1. 春になる**と**、あたたかくなります。
2. あたたかくなる**と**、いろいろな花がさきます。
3. 4月になる**と**、日本全国で、サクラがさきます。
4. 梅雨になる**と**、ほとんど毎日、雨が降ります。

5. 梅雨が終わる**と**、夏になります。
6. 秋になる**と**、すずしくなります。
7. 11月ごろになる**と**、木の葉が赤や黄色に変わります。

The Gist of Japanese Grammar

(1) ～(する)と②

～(する)と very often expresses 'natural' cause-consequence relationships. The phenomenon in question may be a natural, social, physical or psychological one. Study the following examples.

1. **春(はる)になると、**あたたかくなります。(natural phenomenon)
2. **春になると、**サクラの花(はな)がさきます。(natural phenomenon)
3. **春になると、**たくさんの人(ひと)がピクニック (picnic) やハイキングに行(い)きます。(social phenomenon)
4. **お酒(さけ)を飲(の)むと、**顔(かお)が赤(あか)くなります。(physical phenomenon)
5. **お酒を飲むと、**歌(うた)を歌いたくなります。(psychological phenomenon)

In a casual conversation, you may use **～たら** instead of ～(する)と .

*1. 春になっ**たら**、あたたかくなります。
*2. 春になっ**たら**、たくさんの人がピクニックやハイキングに行きます。
*3. お酒を飲んだ**ら**、顔が赤くなります。

(2) ～が一番(いちばん)～

The subject of a superlative sentence is usually indicated with **が** rather than は. Study the following examples:

1. ゴールデンウィークのころ**が**、一年(いちねん)で**一番(いちばん)**気持(きも)ちがいいです。
2. パイナップルとマンゴー**が一番**好(す)きです。(Unit 3, p.34)

Essay Writing

➢Write your own personal narrative using the texts in Section 1 as models.

Supplementary Unit

Towards the Future

新(あたら)しい世界(せかい)

Theme

☐ **Telling a story of one's turning point**

☐ **Telling one's reflections on one's turning point in life**

Main Grammar Points

☐ **～(れ)ば** 〈if ～〉：授業(じゅぎょう)をしっかり**聞(き)けば**、分(わ)かりました。

☐ **question word**（＋**particle**）＋**～(れ)ばいいか**（what / when / where / how to ～）：

いつも、**何(なに)を覚(おぼ)えればいいか**、はっきりしていました。

Additional Grammar Points

※ Relevent explanations are in GJG（The Gist of Japanese Grammar） as indicated within the parenthesis.

☐ ～てあります：二人(ふたり)のＴ(ティー)シャツには「Daikyo Climbing Team」と書(か)いてありました。（cf.GJG（2））

☐ ～ておきます：大学時代(だいがくじだい)にいろいろな経験(けいけん)をしておくことが大切(たいせつ)だと思(おも)います。（cf.GJG（3））

☐ ～よ：山(やま)に行(い)くと、とても気持(きも)ちがいいですよ。（cf.GJG（4））

☐ ～すぎる〈overdo something〉：わたしは勉強(べんきょう)のことを心配(しんぱい)しすぎていたのです。（cf.GJG（6））

☐ ～のです or ～んです：わたしは勉強(べんきょう)のことを心配(しんぱい)しすぎていたのです。（cf.GJG（7））

☐ ～なさい〈imperative expression〉：これを覚(おぼ)えなさい。（cf.GJG（8））

☐ ～ようと思(おも)います〈have made up one's mind to ～〉：

「正(ただ)しい答(こた)え」ではなく、いろいろな見方(みかた)や考(かんが)え方(かた)を勉強(べんきょう)しようと思います。（cf.GJG（9））

☐ ～ようとしても〈even if one try hard to ～〉：正(ただ)しい答(こた)えを見(み)つけようとしても、見つけられません。（cf.GJG（10））

☐ ～わけではありません〈it doesn't mean that～〉：勉強(べんきょう)がきらいになったわけではありません。（cf.GJG（11））

☐ ～始(はじ)める、～続(つづ)ける〈begin to ～, continue to ～〉：

日本語を勉強(べんきょう)し始めたときも、漢字(かんじ)が分(わ)かるので、それほどたいへんではありませんでした。

これからも勉強し続けます。（cf.GJG（12））

Personal Narratives

➢ Study and practice saying the text aloud while listening to the audio. Also, practice questioning and answering using the text.

A. 出会い(であ)

1 リさん

no.2-31

きのう、音楽を聞きながらキャンパスを歩いていたら、「いっしょに山に行きませんか。」と声をかけられました。大学の山の会の人でした。二人のＴシャツには「Daikyo Climbing Team」と書いてありました。工学部４年生の山川あきおさんと、工学部３年生の田中京子さんでした。

わたしは、山には興味がなかったし、勉強のことが心配だったので、「山は、ちょっと…。」と断りました。でも、山川さんは、「山に行くと、とても気持ちがいいですよ。山を歩いて、きれいな景色を見て、おいしい空気を吸うと、元気になりますよ。勉強のことはちょっと忘れて、山に行きましょう。」と言いました。

\>>

きのう、音楽(おんがく)を聞(き)きながらキャンパス(campus)を歩(ある)いていたら、「いっしょに山(やま)に行(い)きませんか。」と声(こえ)をかけられ(声をかける(talk to)→声をかけられる)ました。大学(だいがく)の山の会(かい)の人(ひと)でした。二人(ふたり)のT(ティー)シャツ(T-shirt)には「Daikyo Climbing Team」と書(か)いてありました(is written)。工学部(こうがくぶ)4年生(ねんせい)の山川(やまかわ)あきおさんと、工学部3年生の田中京子(たなかきょうこ)さんでした。

わたしは、山には興味(きょうみ)がなかった(not interested in)し、勉強(べんきょう)のことが心配(しんぱい)だった(worried about)ので、「山は、ちょっと(a little, somewhat)…。」と断(ことわ)り(decline)ました。でも、山川さんは、「山に行くと、とても気持(きも)ちがいいですよ。山を歩いて、きれいな景色(けしき)を見(み)て、おいしい空気(くうき)を吸(す)う(inhale the air)と、元気(げんき)になりますよ。勉強のことはちょっと(for a while)忘(わす)れて(forget)、山に行きましょう。」と言(い)いました。

2 リさん 

no.2-32

「勉強のことはちょっと忘れて」と言われて、わたしは、はっとしました。この１か月間、わたしは勉強のことばかり考えていました。いつも勉強のことを心配していました。それで、どこにも遊びに行きませんでした。わたしは勉強のことを心配しすぎていたのです。

わたしは、「一度も山に行ったことがないんですが、だいじょうぶですか。」と聞きました。すると、田中さんは「だいじょうぶです。何も心配しなくていいですよ。」と言いました。二人はとてもやさしそうでした。そして、さわやかで、とてもすてきでした。わたしは、山の会に入ることにしました。

>>

「勉強（べんきょう）のことはちょっと忘（わす）れて」と言（い）われて［言う→言われる］、わたしは、はっとしました［suddenly realized］。この1か月間（いっかげつかん）、わたしは勉強のことばかり考（かんが）えて［think］いました。いつも勉強のことを心配（しんぱい）して［worry about］いました。それで、どこにも［nowhere］遊（あそ）びに行（い）きませんでした。わたしは勉強のことを心配しすぎていたのです［worry too much］。

わたしは、「一度（いちど）も山（やま）に行ったことがないんですが、だいじょうぶ［all right］ですか。」と聞（き）きました［ask］。すると、田中（たなか）さんは「だいじょうぶです。何（なに）も［nothing］心配しなくていいですよ。」と言いました。二人（ふたり）はとてもやさしそうでした。そして、さわやか［nice-looking］で、とてもすてき［attractive, charming］でした。わたしは、山の会（かい）に入（はい）ることにしました。

B. 新しい世界が始まる

1 リさん  >> no.2-33

この1か月は、わたしにとって、苦しい1か月でした。

勉強がこんなにたいへんだと思ったことはありません。中学や高校のときも、勉強はたいへんでした。でも、授業をしっかり**聞けば**、分かりました。そして、いっしょうけんめい**勉強すれば**、試験でいい点をとることができました。ですから、何も問題はありませんでした。日本語を勉強し始めたときも、漢字が分かるので、それほどたいへんではありませんでした。漢字の読み方は少しむずかしかったですが、正しい読み方を調べて、それを**覚えれば**、だいじょうぶでした。いつも、**何を覚えればいいか**、はっきりしていました。

大学の勉強は、ぜんぜんちがいます。大学の勉強は、**何を勉強すればいいか**、よく分かりません。先生も「これを覚えなさい」とはっきり言ってくれません。**どこまで勉強すればいいか**も、よく分かりません。正しい答えを見つけようとしても、見つけられません。こんな経験は初めてでした。ですから、とても不安でした。

>>>

この1（いっ）か月（げつ）は、わたしにとって[for me]、苦（くる）しい[hard, painful]1か月でした。勉強（べんきょう）がこんなに[so]たいへんだと思（おも）ったことはありません。中学（ちゅうがく）や高校（こうこう）のときも、勉強はたいへんでした。でも、授業（じゅぎょう）をしっかり[attentively, earnestly]**聞（き）けば**、分（わ）かりました。そして、いっしょうけんめい**勉強すれば**、試験（しけん）[examination]でいい点（てん）をとる[get a good mark]ことができました。ですから、何（なに）も問題（もんだい）[problem]はありませんでした。日本語を勉強し始（はじ）めた[began to study]ときも、漢字（かんじ）が分かるので、それほどたいへんではありませんでした。漢字の読（よ）み方（かた）は少（すこ）しむずかしかったですが、正（ただ）しい[correct]読み方を調（しら）べて[look up (in the dictionary)]、それを**覚（おぼ）えれば**[memorize]、だいじょうぶでした。いつも、**何を覚えればいいか**、はっきり[clear]していました。

大学（だいがく）の勉強は、ぜんぜんちがいます[completely different]。大学の勉強は、**何を勉強すればいいか**、よく分かりません。先生（せんせい）も「これを覚えなさい[Memorize these!]」とはっきり言（い）ってくれません。**どこまで勉強すればいいか**も、よく分かりません。正しい答（こた）え[answer]を見（み）つけようとしても[even if I try to find out]、見つけられません。こんな経験（けいけん）は初（はじ）めてでした。ですから、とても不安（ふあん）[worried, nervous]でした。

2 リさん

no.2-34

最近、少し勉強の仕方が分かりました。「少しずつ分かれば、いい」という気持ちになりました。勉強がきらいになったわけではありません。これからも勉強し続けます。でも、「正しい答え」ではなく、いろいろな見方や考え方を勉強しようと思います。そして、大学の勉強は、学校の勉強だけではないと思います。友だちを作ること、先輩と話をすること、いろいろなことをしていろいろな人に会うことなども、大学時代の大切な勉強だと思うのです。大学時代にいろいろな経験をしておくことが大切だと思います。

週末に、わたしは、山川さんや田中さんたちといっしょに山に行きます。わたしの新しい世界が始まります。

>>

bit by bit, little by little, gradually
最近（さいきん）、少（すこ）し勉強（べんきょう）の仕方（しかた）が分（わ）かりました。「少しずつ分かれば、
dislike / it doesn't mean
いい」という気持（きも）ちになりました。勉強がきらいになったわけ
from now on / continue to study
ではありません。これからも勉強し続（つづ）けます。でも、「正（ただ）しい
perspectives / point of view / I have made up my mind to study
答（こた）え」ではなく、いろいろな見方（みかた）や考（かんが）え方（かた）を勉強しようと思（おも）い
not limited to schoolwork
ます。そして、大学（だいがく）の勉強は、学校（がっこう）の勉強だけではないと思い
ます。友（とも）だちを作（つく）ること、先輩（せんぱい）と話（はなし）をすること、いろいろなこ
college days/years / important
とをしていろいろな人（ひと）に会（あ）うことなども、大学時代（じだい）の大切（たいせつ）な勉
強だと思うのです。大学時代にいろいろな経験（けいけん）をしておくこと
が大切だと思います。

weekend
週末（しゅうまつ）に、わたしは、山川（やまかわ）さんや田中（たなか）さんたちといっしょに山（やま）
world
に行きます。わたしの新（あたら）しい世界（せかい）が始（はじ）まります。

Section 2 Summary of the Main Grammar Points

➢ Study the expressions while refering back to the narratives in Section 1.

(1) ～れば

(聞く)
1. 授業(じゅぎょう)をしっかり**聞(き)けば**、分(わ)かりました。

(勉強する)
2. いっしょうけんめい**勉強(べんきょう)すれば**、試験(しけん)でいい点(てん)をとることができました。

(覚える)
3. 正(ただ)しい読(よ)み方(かた)を調(しら)べて、それを**覚(おぼ)えれば**、だいじょうぶでした。

(分かる)
4. 「少(すこ)しずつ**分かれば**、いい」

(2) question word（＋ particle）＋ ～(れ)ばいいか

1. いつも、**何(なに)を覚(おぼ)えればいいか**、はっきりしていました。

2. **何(なに)を勉強(べんきょう)すればいいか**、よく分(わ)かりません。

3. **どこまで勉強すればいいか**も、よく分かりません。

The Gist of Japanese Grammar

(1) Conditional Expressions：～れば, ～たら and ～と

Though ～れば, ～たら and ～と are called conditional expressions, **～れば**, that is usually translated as 'if ～' or 'suppose ～', may be assumed to be the authentic conditional expression. ～たら and ～と are very often correspond to 'when ～'. In order to understand how ば-form or the conditional form of inflectional verb is conjugated, see **e-form row of Table 3** (p.124) in the appendix.

Also remember that you may always use **～たら** as a general conditional expression in conversations and in a casual writings without being bothered by the distinction of the three expressions. Therefore, it may be recommended to simply use ～たら without trying to use ～れば and ～と for the moment.

(2) ～てあります

～てあります expresses the resultant state. So, 書いてあります is simply translated as '～ is written'. Please note that 書いてあります constructs sentences in the following two patterns:

1. 二人のTシャツには「Daikyo Climbing Team」と書い**てありました**。
2. Tシャツには名前が書い**てありました**。(His/her name was written on the T-shirt.)

(3) ～ておきます

Similar to ～てしまいました, **～ておきます** does not add any substantial meaning. It implies that the action is performed for future convenience. In the examples below the future convenience is explicitly stated.

1. 夕方、お客さんが来るので、冷蔵庫にビールを冷やし**ておきました**。
   (As I will have guests this evening, I put some beer in the refrigerator.)
2. いろいろな経験は役に立つので、大学時代にいろいろな経験をし**ておく**ことが大切です。
   (It is important to have a lot of experiences when you are a student, because different experiences are very useful (in the future)).

(4) ～よ and ～ね

While **～よ**, as in '山に行くと、とても気持ちがいいです**よ**。', conveys the statement definitively, **～ね**, as in 'クアラルンプールは、とても大きくて近代的な町です**ね**。', conveys the statement with some reservation while eliciting the listener's agreement. Study the following examples cited from the text:

1. 最近は、日本人もたくさん住んでいます**ね**。(p.101(vol.1), l.13)
2. 中田さんは、マレーシアのことをよく知っています**ね**。(p.102(vol.1), l.1)
3. (その店には)おいしい紅茶もありますし、おいしいケーキもあります**よ**。(p.102(vol.1), l.11)

Sup. U.

4 山を歩いて、きれいな景色を見て、おいしい空気を吸うと、**元気になりますよ。**
(p.108, l.8)

5. 何も心配しなくていいです**よ**。(p.110, l.8)

(5) 何か－何も，誰か－誰も，誰かに－誰にも and どこかに－どこにも

You have already learned the contrast between 何でも－何も，誰でも－誰も，どこにでも－どこにも in GJG of unit 21. **何か－何も，誰か－誰も，誰かに－誰にも** and **どこかに－どこにも** are another set of pairs of grammatical features that roughly correspond ‘anything - nothing’, ‘anybody - nobody’, etc.. Study the following examples:

1. A：**何か**食べましたか。
   B：いいえ、**何も**食べませんでした。
2. A：**何か**問題がありましたか。
   B：いいえ、**何も**問題はありませんでした。
3. A：**誰か**来ましたか。
   B：いいえ、**誰も**来ませんでした。
4. A：**誰かに**会いましたか。
   B：いいえ、**誰にも**会いませんでした。
5. A：**どこかに**行きましたか。
   B：いいえ、**どこにも**行きませんでした。

(6) ～すぎる

～すぎる simply means ‘do something too much’ or ‘overdo something’. Study the following examples:

1. ちょっと食べ**すぎ**ました。少しお腹がいたいです。
   (I ate too much. I have a slight stomachache.)
2. ちょっとお酒を飲み**すぎ**ました。少し頭がいたいです。
   (I drank too much. I have a slight headache.)
3. 京都に遊びに行きました。とても楽しかったです。でも、ちょっとお金を使い**すぎ**ました。
   (I went to visit Kyoto. It was a great fun. However, I spent too much money.)

Please note that ます-form of the verb is connected to すぎる. You may also say **～すぎだ** as shown below:

4. ちょっと食べ**すぎです**。少しお腹がいたいです。
5. ちょっとお酒を飲み**すぎです**。少し頭がいたいです。
6. 京都に遊びに行きました。とても楽しかったです。でも、ちょっとお金を使い**すぎでした**。

(7) ～んです or ～のです

While you join a conversation with Japanese people, you will often hear **～んです**-expressions such as 'いつ行く**んですか**。', '誰と行く**んですか**。', '何を食べた**んですか**。', 'もう帰る**んですか**。', etc. instead of hearing 'いつ行きますか', '誰と行きますか', '何を食べましたか。', 'もう帰りますか。', etc.. While the propositional content does not change, within ～んです-expressions the predicate part gets out of focus as it is an established fact between the speaker and the listener and the question word or the adverb is sharply focused. Therefore, above examples are near equivalents of the elliptical sentences 'いつですか。', '誰とですか。', '何をですか。', and 'もうですか。' respectively.

～んですが as in '一度も山に行ったことがない**んですが**、だいじょうぶですか。' is a very often used expression explaining the situation in inquiring or asking for a permission, etc.. Another example is 'あした病院に行かなければならない**んですが**、授業を休んでもいいですか。'(I have to go to the hospital tomorrow. So may I be absent from school(tomorrow)?).

As **～のです** is the reserved version of ～んです, you will hear ～のですか or ～のですが when a very humble person is speaking to inquire or ask for a permission, etc..

～のです in an extended talk or writing such as 'わたしは勉強のことを心配しすぎていた**のです**。' (p.110) or '…ことなども、大学時代の大切な勉強だと思う**のです**。'(p.114) is used to assert the embedded statement emphatically.

(8) ～なさい

～なさい is an imperative suffix. It is added to ます-form of the verb as in 起きなさい, 食べなさい, 飲みなさい, 行きなさい, 勉強しなさい, 覚えなさい, 寝なさい, etc..

(9) ～ようと思います

～ようと思います is a declaration of one's will or resolution and may be roughly translated as 'one has made up one's mind to ～'. Study the following examples:

1. あしたから、毎日５時間**勉強しようと思います**。
2. あしたから、朝６時に**起きようと思います**。そして、**ジョッギングをしようと思います**。
3. 「正しい答え」ではなく、いろいろな見方や考え方を**勉強しようと思います**。(p.114)

When you construct this pattern with inflectional verbs you have to change them into volitional forms. In oreder to understand how volitional form of inflectional verb is conjugated, see o-form row of Table 3 (p.124) in the appendix. Study the following examples:

4. あしたから、毎朝、新聞を**読もうと思います**。
5. あしたから、毎日、ブログを**書こうと思います**。

(10) ～ようとしても

～ようとします means 'try hard to ～'. Study the following examples:

1. 納豆を食べ**ようとしましたが**、食べられませんでした。
2. フタ (cap, lid) を開け**ようとしましたが**、開きませんでした。

And, **～ても** means 'even if ～'. Therefore, **～ようとしても** altogether means 'even if one tries hard to ～'. So, '正しい答えを見つけ**ようとしても**、見つけられませんでした。' means 'Even if I tried hard to find out the right answer, I couldn't find it.'.

Please note that volitional form of a verb is added before ～ようとしても. For volitional forms of inflectional verbs, see **o-form row of Table 3** (p.124) in the appendix. Study the following example:

3. ロシア (Russia) のお酒は、**飲もうとしても**、飲めませんでした。

(11) ～わけではありません

～わけではありません is used to negate the embedded statement and may be roughly translated as 'it doesn't mean that ～'. Study the following examples:

1. さしみがきらいな**わけではありません**が、あまり食べません。
2. コンビニ (convenience store) のお弁当が好きな**わけではありません**が、ほとんど毎日食べています。
3. コンサート (concert) に行きたくない**わけではありません**。日本ではコンサートのチケット (ticket) が高いので、なかなか行けません。

(12) ～始める, ～続ける and ～終わる

～始める, ～続ける and ～終わる are approximate equivalents to 'begin to ～', 'continue to ～' and 'finish / complete ～ ing'. Study the following examples:

1. わたしたちは、6時に晩ごはんを食べ**始め**ました。そして、9時に食べ**終わり**ました。そして、晩ごはんの間 (during dinner)、ずっと話し**続け**ました。

～続く is another expression that means 'continue to ～'. However, it is used only in '降り続きます'.

2. 6時に、雨が降り始めました。そして、雨は朝まで降り**続き**ました。(**～続く**)
3. 日本語を勉強する人は、増え**続けて**います。(**～続ける**)

Appendix

Table 1. い形容詞(けいようし)（＝い-Adjectives）e.g. 高(たか)い本(ほん)、高くて 122

Table 2. な形容詞(けいようし)（＝な-Adjectives）e.g. 親切(しんせつ)な人(ひと)、親切で 123

Table 3. Inflectional verbs（=Group I verbs, *u*-verbs）and their inflections 124

Table 4. Stem verbs（=Group II verbs, *ru*-verbs） 125

Table 5. Irregular verbs（=Group III verbs）and their inflections 125

Table 1.　い形容詞(けいようし)(＝い-Adjectives)　ex. 高(たか)い本(ほん)、高くて

Words appearing with '*' do not appear in this textbook.

non-past	past	negative (+past)	become/get ～	became/got ～	← negative (+past)
高(たか)いです	高かったです	高くありません(でした)	高くなります	高くなりました	高くなりません(でした)
かわいいです	かわいかったです	かわいくありません(でした)	かわいくなります	かわいくなりました	かわいくなりません(でした)
きびしいです	きびしかったです	きびしくありません(でした)	きびしくなります	きびしくなりました	きびしくなりません(でした)
やさしいです	やさしかったです	やさしくありません(でした)	やさしくなります	やさしくなりました	やさしくなりません(でした)
いそがしいです	いそがしかったです	いそがしくありません(でした)	いそがしくなります	いそがしくなりました	いそがしくなりません(でした)
安(やす)いです	安かったです	安くありません(でした)	安くなります	安くなりました	安くなりません(でした)
いいです	よかったです	よくありません(でした)	よくなります	よくなりました	よくなりません(でした)
とおいです	とおかったです	とおくありません(でした)	とおくなります	とおくなりました	とおくなりません(でした)
おいしいです	おいしかったです	おいしくありません(でした)	おいしくなります	おいしくなりました	おいしくなりません(でした)
おもしろいです	おもしろかったです	おもしろくありません(でした)	おもしろくなります	おもしろくなりました	おもしろくなりません(でした)
楽(たの)しいです	楽しかったです	楽しくありません(でした)	楽しくなります	楽しくなりました	楽しくなりません(でした)
少(すく)ないです	少なかったです	少なくありません(でした)	少なくなります	少なくなりました	少なくなりません(でした)
正(ただ)しいです	正しかったです	正しくありません(でした)	正しくなります	正しくなりました	正しくなりません(でした)
*こわいです	こわかったです	こわくありません(でした)	こわくなります	こわくなりました	こわくなりません(でした)
*多(おお)いです	多かったです	多くありません(でした)	多くなります	多くなりました	多くなりません(でした)
*つめたいです	つめたかったです	つめたくありません(でした)	つめたくなります	つめたくなりました	つめたくなりません(でした)
*わるいです	わるかったです	わるくありません(でした)	わるくなります	わるくなりました	わるくなりません(でした)
*すばらしいです	すばらしかったです	すばらしくありません(でした)	すばらしくなります	すばらしくなりました	すばらしくなりません(でした)
*つまらないです	つまらなかったです	つまらなくありません(でした)	つまらなくなります	つまらなくなりました	つまらなくなりません(でした)

～くないです (non-past)
～くなかったです (past) are also used.

Table 2.　な形容詞(けいようし)（＝な-Adjectives）　ex. 親切(しんせつ)な人(ひと)、親切で

non-past	past	negative (+past = +でした)	become/get ～	became/got ～	← negative (+past = +でした)
親切(しんせつ)です	親切でした	親切ではありません	親切になります	親切になりました	親切になりません
きれいです	きれいでした	きれいではありません	きれいになります	きれいになりました	きれいになりません
好(す)きです	好きでした	好きではありません	好きになります	好きになりました	好きになりません
大好(だいす)きです	大好きでした	大好きではありません	大好きになります	大好きになりました	大好きになりません
たいへんです	たいへんでした	たいへんではありません	たいへんになります	たいへんになりました	たいへんになりません
安全(あんぜん)です	安全でした	安全ではありません	安全になります	安全になりました	安全になりません
便利(べんり)です	便利でした	便利ではありません	便利になります	便利になりました	便利になりません
だいじょうぶです	だいじょうぶでした	だいじょうぶではありません	だいじょうぶになります	だいじょうぶになりました	だいじょうぶになりません
苦手(にがて)です	苦手でした	苦手ではありません	苦手になります	苦手になりました	苦手になりません
*しずかです	しずかでした	しずかではありません	しずかになります	しずかになりました	しずかになりません
*にぎやかです	にぎやかでした	にぎやかではありません	にぎやかになります	にぎやかになりました	にぎやかになりません
*楽(らく)です	楽でした	楽ではありません	楽になります	楽になりました	楽になりません
*きけんです	きけんでした	きけんではありません	きけんになります	きけんになりました	きけんになりません
*不便(ふべん)です	不便でした	不便ではありません	不便になります	不便になりました	不便になりません

～ではないです (non-past)
～ではなかったです (past) are also used.

※「では」is often shortened to「じゃ」as in「～じゃありません／～じゃないです」in spoken Japanese.

※ **Attention!**「きれいな」may seem to be an い-adjective if it is used like「きれいです」. However it is a な-adjective.

Appendix

Table 3. Inflectional verbs (=Group I verbs, *u*-verbs) and their inflections

	か-line	が-line	さ-line	た-line	な-line	ば-line	ま-line	ら-line	わ-line
a -form ない-form plain negative form	kak **a** -ない	oyog **a**- ない	hanas **a** -ない	mat **a** -ない	shin **a** -ない	asob **a** -ない	nom **a** -ない	tsukur **a** -ない	kaw **a** -ない
i -form ます-form ます (non-past) ました (past) ません (negative) ませんでした (negative past)	kak **i** -ます	oyog **i** -ます	hanash **i** -ます	mach **i** -ます	shin **i** -ます	asob **i** -ます	nom **i** -ます	tsukur **i** -ます	ka **i** -ます
u -form dictionary form plain non-past form	kak **u**	oyog **u**	hanas **u**	mats **u**	shin **u**	asob **u**	nom **u**	tsukur **u**	ka **u**
e -form ば-form conditional form	kak **e** -ば	oyog **e** -ば	hanas **e** -ば	mat **e** -ば	shin **e** -ば	asob **e** -ば	nom **e** -ば	tsukur **e** -ば	ka **e** -ば
o -form volitional form	kak **o** - う	oyog **o** - う	hanas **o** - う	mat **o** - う	shin **o** - う	asob **o** - う	nom **o** - う	tsukur **o** - う	ka **o** - う
ta -form plain past form	ka **i** -た	oyo **i** -だ	hanash **i** -た	ma **t** -た	shi **n** -だ	aso **n** -だ	no **n** -だ	tsuku **t** -た	ka **t** -た
te -form connective form	ka **i** -て	oyo **i** -で	hanash **i** -て	ma **t** -て	shi **n** -で	aso **n** -で	no **n** -で	tsuku **t** -て	ka **t** -て
examples verbs	書(か)く 聞(き)く 歩(ある)く 泣(な)く 働(はたら)く 置(お)く 行(い)く (itta, itte)	泳(およ)ぐ 脱(ぬ)ぐ	話(はな)す 消(け)す 貸(か)す 返(かえ)す	待(ま)つ 持(も)つ 立(た)つ	死(し)ぬ	遊(あそ)ぶ 呼(よ)ぶ 飛(と)ぶ	飲(の)む 読(よ)む 休(やす)む	作(つく)る 送(おく)る 売(う)る 座(すわ)る 乗(の)る 渡(わた)る 帰(かえ)る 入(はい)る 切(き)る	買(か)う 使(つか)う 払(はら)う 洗(あら)う 歌(うた)う 会(あ)う 吸(す)う 言(い)う 思(おも)う

Table 4. Stem verbs (=Group II verbs, *ru*-verbs)

	～ iru		～ eru	
ない-form plain negative form	oki -ない	mi -ない	tabe -ない	ne -ない
ます-form ます (non-past) ました (past) ません (negative) ませんでした (negative past)	oki -ます	mi -ます	tabe -ます	ne -ます
dictionary form plain non-past form	oki -る	mi -る	tabe -る	ne -る
ば-form conditional form	oki -れば	mi -れば	tabe -れば	ne -れば
volitional form	oki -よう	mi -よう	tabe -よう	ne -よう
ta -form plain past form	oki -た	mi -た	tabe -た	ne -た
te -form connective form	oki -て	mi -て	tabe -て	ne -て
examples verbs	起(お)きる　見(み)る 降(お)りる　借(か)りる いる　着(き)る		食(た)べる　寝(ね)る 開(あ)ける　閉(し)める　つける 教(おし)える　覚(おぼ)える　忘(わす)れる 変(か)える　調(しら)べる　考(かんが)える 入(い)れる　出(で)る	

Table 5. Irregular verbs (=Group III verbs) and their inflections

ない-form plain negative form	ko -ない	shi -ない
ます-form ます (non-past) ました (past) ません (negative) ませんでした (negative past)	ki -ます	shi -ます
dictionary form plain non-past form	ku -る	su -る
ば-form conditional form	ku -れば	su -れば
volitional form	ko -よう	shi -よう
ta -form plain past form	ki -た	shi -た
te -form connective form	ki -て	shi -て
example verbs	来(く)る ～てくる 買(か)ってくる 持(も)ってくる	する ～する ～をする 勉強(べんきょう)　研究(けんきゅう) 質問(しつもん)　説明(せつめい)

Vocabulary

各（かく）ユニットの Personal Narratives 内（ない）の語彙（ごい）・表現（ひょうげん）
Words and expressions from the Personal Narratives.
〈AGP〉＝ Additional Grammar Points

Unit 13

毎朝（まいあさ）	every morning
歯（は）	teeth
みがきます	brush
シャワーをします	take a shower
もう一度（いちど）	again, once again
～て〈AGP〉	～, and ～
～時間目（じかんめ）	class in the ～ period
明（あか）るい	light
もう	already
暗（くら）い	dark
こわい	be afraid
うがいをします	gargle
午前（ごぜん）	the morning
～だけ〈AGP〉	only
実験（じっけん）(を)します	experiment
発表（はっぴょう）	presentation
準備（じゅんび）(を)します	preparation
徹夜（てつや）します	stay up all night
(～することも)あります	sometimes ～
着（つ）きます	arrive
そんなとき	in this case

Unit 14

マンガ	comics
趣味（しゅみ）	hobby
Jポップ（ジェイ）	J-pop
アニメ	animation
DVD（ディーブイディー）	DVD
結婚（けっこん）します	get married
それで〈AGP〉	therefore, and so
始（はじ）めます	begin
生（なま）の	live
モーツァルト	Mozart
習（なら）っています	learn
バンド	band
ベース	bass
ひきます〈ピアノを〉	play 〈an instrument〉
曲（きょく）	music, hit, song
演奏（えんそう）します	perform

Unit 15

専門（せんもん）	major
情報工学（じょうほうこうがく）	information engineering
卒業（そつぎょう）します	graduate
進（すす）みます	go on to
将来（しょうらい）	in the future
情報通信（じょうほうつうしん）	information communication
博士課程（はかせかてい）	doctoral course
博士号（はかせごう）	doctoral degree, Ph.D
なります	become, get
就職（しゅうしょく）します	get a job
まだ～ていません〈AGP〉	have not ～ yet

決(き)めます	decide
関係(かんけい)	relationship, relation
エンターテインメント	entertainment
あらわれます	come across a person
～たら〈AGP〉	if ～ , when
～でもいいです〈AGP〉	it is okay to ～
～(し)なくてもいいです〈AGP〉	need not to ～, don't have to ～
たぶん	probably
～後(ご)〈AGP〉	after ～
続(つづ)けます	continue
システム工学(こうがく)	systems engineering
コンピュータ	computer
言語理解(げんごりかい)	language comprehension
人間(にんげん)	humans
コミュニケーション	communication
ロボット	robot
進学(しんがく)します	go on to a ～ school
～(し)ないで、～〈AGP〉	do not ～, ～
～ている間(あいだ)〈AGP〉	while
～までに〈AGP〉	by ～
～がほしい〈AGP〉	want ～
相手(あいて)	partner
女性(じょせい)	woman
家事(かじ)	housework
育児(いくじ)	child-raising

Unit 16

～系(けい)	～ origin
だから〈AGP〉	so, therefore
～ので〈AGP〉	because ～
漢字(かんじ)	kanji (chinese writing system)
意味(いみ)	meaning
だいたい	for the most part
～方(かた)〈AGP〉	how to ～
ですから〈AGP〉	so, therefore
うまい	to do someshing well
～と思(おも)います〈AGP〉	I think ～
ヘルシーな	healthy
天(てん)ぷら	tempura (prawns or vegetables deep fried in a crispy batter)
お好(この)み焼(や)き	okonomiyaki (a savory thick pancake with various toppings)
たこ焼(や)き	takoyaki (pieces of octopus fried in a crispy ball of batter)
何(なん)でも〈AGP〉	whatever
納豆(なっとう)	femented soybeans
におい	smell
ひどい〈におい〉	terrible, miserable
～前(まえ)〈AGP〉	before
料理(りょうり)(を)します	cook
～(する)ようになりました〈AGP〉	began to ～
得意(とくい)な	a thing, I pride myself on
カレー	curry
インド	India
タイ	Thai
シンプルな	simple
シーフード	seafood
トマトソース	tomato sauce
自分(じぶん)で〈AGP〉	by oneself

Unit 17

プレゼント	gifts
もらいます	be given, receive

くれます	give to me or my family / close friend / etc.
スカーフ	scarf
バッグ	bag
どれも〈AGP〉	everything
うれしい	happy
親戚（しんせき）	relative
おじさん	uncle
おこづかい	pocket money
誕生日（たんじょうび）	birthday
ベルト	belt
ネクタイ	necktie
ハンカチ	handkerchief
食事（しょくじ）(を)します	have dinner
サイフ	wallet, purse
クリスマス	Christmas
あげます	give
人形（にんぎょう）	doll
おもちゃ	toy
絵本（えほん）	picture book
小学校（しょうがっこう）	elementary school
入（はい）ります〈小学校（しょうがっこう）に〉	enter 〈to get into a school〉
セーター	sweater

Unit 18

助（たす）けます	assist
大使館（たいしかん）	embassy
荷物（にもつ）	luggage, baggage
パッキング	pack
出発（しゅっぱつ）	departure
空港（くうこう）	the airport
チェックイン・カウンター	check-in counter
スーツケース	suitcase
運（はこ）びます	carry
見送（みおく）ります	send ～ off
別（わか）れます	seperate
悲（かな）しい	sad
接続（せつぞく）	connection
仕方（しかた）	how to (do sth.)
連（つ）れて行（い）きます	take
切符（きっぷ）	ticket
教（おし）えます	teach
プリペイドカード	prepaid card
便利（べんり）な	convenient
来月（らいげつ）	next month
学会（がっかい）	academic conference
出席（しゅっせき）します	attend
～ために〈AGP〉	in order to ～
オーストラリア	Australia
初（はじ）めて	first time
同僚（どうりょう）	colleague
地図（ちず）	map
場所（ばしょ）	location
ホテル	hotel
市内（しない）	in the city
観光（かんこう）スポット	tourist spots
歴史的（れきしてき）な	hisotoric

Unit 19

～という〈AGP〉	called ～
モノレール	monorail
もちろん	of course
北（きた）	north
大（おお）きな	big

動物園	zoo
種類	type
「…」と言いました〈AGP〉	said "～"
～てみたい〈AGP〉	have a try of ～
出張	business trip
～くん	an informal suffix after boy's name
～で〈AGP〉	because of ～
アパート	apartment, flat
メロン	melon
ベッド	bed
わりと	fairly
キッチン	kitchen
ちらかっています	in a mess
洗濯物	laundry
かたづけます	tidy up
出します〈ゴミを〉	take out
スープ	soup
なおります	be cured

Unit 20

いい子	good girl/boy
それほど(～ない)	not to that extent
～が	but
よく	a lot
成績	grades
ほめます	praise
世話(を)します	take care of
小学生	elementary shool student
ゲーム	game
～ばかり〈AGP〉	nothing but ～
しかります	scold
遅く	late
帰ってきます	return
もっと	more
ぜんぜん(～ない)	not at all
次	following
頼みます	ask
論文	dissertation, research paper
コピー	photocopy, photocopying
チェック〈英語の〉	check
外国人	person from abroad
お客さん	guest
通訳	interpreting
後輩	juniors
ごちそうします	take ～ to dinner
誘います	invite

Unit 21

何も〈AGP〉	nothing
かわいそう	poor, unfortunate
きらいな	dislike, hate
ハンバーガー	hamberger
フライドチキン	fried chicken
絶対(に)	absolutely
いっしょうけんめい	very hard
遊びます	play
チーム	team
入ります〈チームに〉	join
家庭教師	(private) tutor
中学校	junior high school
選手	player
法律	law

つぎます	succeed (over / to accompany etc.)
経済（けいざい）	economy
ビジネス	business
ピーマン	green pepper
トマト	tomato
コーラ	cola
体（からだ）	body

Unit 22

何回も（なんかい）	over and over
～個（こ）	1 thing (counter for small objects)
覚えます（おぼ）	remenber, memorize
小テスト（しょう）	quiz
短い（みじか）	short
読み物（よ もの）	reading material
出します〈声を〉（だ こえ）	shout out
音読（おんどく）	read aloud
日記（にっき）	diary
計算（けいさん）	calculation
練習（れんしゅう）	practice, exercise
～のおかげで〈AGP〉	thanks to ～
速い（はや）	fast
休み時間（やす じかん）	break, recess
野菜ジュース（やさい）	vagetable juice
塾（じゅく）	cram school

Unit 23

きのう	yesterday
ひどい〈一日〉（いちにち）	miserable
ちがいます	different
急に（きゅう）	suddenly
犬（いぬ）	dog
ほえます	bark
びっくりします	be startled
辞書（じしょ）	dictionary
忘れます（わす）	forget
あてます	call
答えます（こた）	answer
カ	mosquito
～ようです〈AGP〉	It seems that ～
足（あし）	leg
さします	bite
かゆい	itchy
ハチ	bee
追いかけます（お）	chase
階段（かいだん）	stairs
転びます（ころ）	stumble
年末（ねんまつ）	year-end
家族旅行（かぞくりょこう）	family trip
経験（けいけん）	experience
飛行機（ひこうき）	airplane
踏みます（ふ）	step on
ハイヒール	high heels
痛い（いた）	painful
ナイトマーケット	night-market
そこ〈AGP〉	that place, there
盗みます（ぬす）	steal
入っています（はい）	〈something〉is in ～
バスツアー	bus tour
乗ります（の）	ride
途中で（とちゅう）	on the way
エンジン	engine
止まります（と）	stop (intransitive)

動(うご)きます	move, go on
別(べつ)	another
しばらく	for a while
変(へん)な	strange
音(おと)	sound
エアコン	air-conditioner
修理(しゅうり)	repair
直(なお)ります	repair
移(うつ)ります	transfer, move
〜(する)ことになりました〈AGP〉	It was decided that 〜
受(う)け取(と)ります	receive
すると〈AGP〉	then
こわれています	be broken
ロック(を)します	lock
セキュリティ	security
こわします	break

Unit 24

昔(むかし)	ancient times
どこ(に〜ても)	everywhere
〜ても〈AGP〉	wherever / whenever / whoever / etc. 〜
文字(もじ)	writing, writing system, character
ひらがな	hiragana
カタカナ	katakana
発明(はつめい)します	to invent
今(いま)から	from now
一部(いちぶ)	a part of 〜
〜しか〜ません〈AGP〉	nothing but 〜
苦手(にがて)な	bad at
約(やく)〜	approximatelly
少(すく)ない	few
出版(しゅっぱん)します	publish
アジア	Asia
細(ほそ)い	thin
%(パーセント)	percent
〜以上(いじょう)	more than
海(うみ)	the sea
囲(かこ)みます	is surrounded by
さきます	bloom
終(お)わり	the end
日本全国(にほんぜんこく)	all over Japan
天気(てんき)	weather
続(つづ)きます	continue
ゴールデンウィーク	Golden Week (holidays)
ころ	at (that time)
〜が(〜で)一番(いちばん)〜〈AGP〉	〜 is the most 〜 (in / among 〜)
気持(きも)ちがいい	pleasant, comfortable
梅雨(つゆ)	rainy season
ほとんど	mostly
いやな	unpleasant
葉(は)	leaf, leaves
赤(あか)	red
黄色(きいろ)	yellow
変(か)わります	change, turn
紅葉(こうよう)	tinted autumnal leaves
つつみます	cover, wrap

Supplementary Unit

キャンパス	campus
声(こえ)をかけます	talk to
T(ティー)シャツ	T-shirt

～てあります〈AGP〉	(～) is done (e.g. written, posted, etc.)
興味(きょうみ)	be interested in
心配(しんぱい)な	worry about
ちょっと	a little, somewhat
断(ことわ)ります	decline
～よ〈AGP〉	See (4) of GJG, p.117
空気(くうき)	the air
吸(す)います	inhale
ちょっと	(wait) for a while
はっとします	suddenly realized
考(かんが)えています	think
心配(しんぱい)します	worry
どこにも(～ない)	nowhere
～すぎます〈AGP〉	too much
～のです〈AGP〉	See (7) of GJG, p.119
～んです〈AGP〉	See (7) of GJG, p.119
だいじょうぶな	all right
さわやかな	nice-looking
～にとって	for from the standpoint of
苦(くる)しい	hard, painful
こんなに	of this kind
しっかり	with resolution
試験(しけん)	examination
問題(もんだい)	problem
～始(はじ)める〈AGP〉	begin to ～
正(ただ)しい	correct
はっきり	clear
～なさい〈AGP〉	See (8) of GJG, p.119
答(こた)え	an answer
見(み)つけます	discover
～ようとしても〈AGP〉	even if one try hard to ～
不安(ふあん)な	worry, nervous
少しずつ	bit by bit, little by little
～わけではありません〈AGP〉	it doesn't mean that ～
これからも	from now on
～続(つづ)ける〈AGP〉	continue to ～
～ようと思(おも)います〈AGP〉	have made up one's mind to ～
作(つく)ります〈友(とも)だちを〉	make (friends)
～時代(じだい)	～ days / years, time, age
大切(たいせつ)な	important
～ておきます〈AGP〉	See (3) of GJG, p.117
週末(しゅうまつ)	weekend
世界(せかい)	world

INDEX

- [U1] = Unit 1
- [U0] = Classroom and Daily Expressions
- [Sup.U.] = Supplementary Unit
- * = Useful Expressions での“＊”付(つ)きのことば
- 〈表〉 = 表現
- 〈AGP〉= Additional Grammar Points
- (U5)= Unit5 の Useful Expressions で初出(しょしゅつ)のことば
  例：[U7] p.102,(U5)
  = Unit7 の Personal Narratives より先(さき)に Unit5 の Useful Expressions で登場(とうじょう)
- 〈→ p.7〉= 7 ページ参照(さんしょう)(使(つか)い方(かた)の例(れい)をまとめて掲載(けいさい))

あ

ああ〈表〉	[U7] p.101	(vol.1)
*アイスクリーム	[U3] p.41	(vol.1)
相手(あいて)	[U15] p.22	(vol.2)
会(あ)います[会う]	[U6] p.87	(vol.1)
赤(あか)	[U24] p.102	(vol.2)
明(あか)るい〈性格〉	[U8] p.110	(vol.1)
明(あか)るい〈外〉	[U13] p.2	(vol.2)
秋(あき)	[U9] p.118	(vol.1)
あけます[あける]	[U10] p.137	(vol.1)
あげます[あげる]	[U17] p.40	(vol.2)
あげます[あげる]〈手(て)を〉	[U10] p.135	(vol.1)
あげます[あげる]〈ブラインドを〉	[U10] p.138	(vol.1)
朝(あさ)	[U4] p.50	(vol.1)
朝(あさ)ごはん	[U3] p.32	(vol.1)
足(あし)	[U23] p.92	(vol.2)
味(あじ)	[U6] p.86	(vol.1)
アジア	[U24] p.102	(vol.2)
あした	[U7] p.102,(U5)	(vol.1)
遊(あそ)びます[遊ぶ]	[U21] p.74	(vol.2)
遊(あそ)んでいます	[U8] p.108	(vol.1)
あたたかい	[U9] p.118	(vol.1)
頭(あたま)がいい	[U8] p.108	(vol.1)
新(あたら)しい	[U9] p.124,(U5)	(vol.1)
あっ〈表〉	[U7] p.100	(vol.1)
あつい	[U9] p.118	(vol.1)
あてます[あてる]	[U23] p.92	(vol.2)
後(あと)	[U4] p.53	(vol.1)
兄(あに)	[U2] p.15	(vol.1)
アニメ	[U14] p.10,(U9)	(vol.2)
姉(あね)	[U2] p.15	(vol.1)
アパート	[U19] p.60	(vol.2)
危(あぶ)ない	[U10] p.132	(vol.1)
あまい	[U3] p.34	(vol.1)
雨具(あまぐ)	[U10] p.132	(vol.1)
あまり	[U3] p.33	(vol.1)
雨(あめ)	[U12] p.156	(vol.1)
洗(あら)います[洗う]	[U12] p.154	(vol.1)
洗(あら)っています	[U8] p.115	(vol.1)
*アラビア語(ご)	[U2] p.25	(vol.1)

あらわれます［あらわれる］	[U15] p.20	(vol.2)
ありがとうございます〈表〉	[U0] p.2	(vol.1)
あります〈会議が〉［ある］	[U4] p.52	(vol.1)
あります〈店が〉［ある］	[U5] p.70	(vol.1)
歩いて	[U4] p.63	(vol.1)
歩きます［歩く］	[U10] p.132	(vol.1)
*あれ	[U7] p.103	(vol.1)
安全な	[U10] p.132	(vol.1)

い

いい	[U5] p.72	(vol.1)
いいえ〈表〉	[U7] p.102	(vol.1)
いい子	[U20] p.66	(vol.2)
いいですよ〈表〉	[U7] p.102	(vol.1)
言います［言う］	[U10] p.137	(vol.1)
家	[U9] p.118	(vol.1)
いえ、いえ〈表〉	[U0] p.2	(vol.1)
いえいえ〈表〉	[U7] p.101	(vol.1)
行きます［行く］	[U3] p.35	(vol.1)
育児	[U15] p.22	(vol.2)
*医者	[U2] p.25	(vol.1)
～以上	[U24] p.102	(vol.2)
いそがしい	[U12] p.152	(vol.1)
痛い	[U23] p.94	(vol.2)
いただきます〈表〉	[U0] p.2	(vol.1)
*イタリア語	[U2] p.25	(vol.1)
*イタリア料理	[U5] p.77	(vol.1)
イタリアン	[U5] p.72	(vol.1)
1・2	[U3] p.35	(vol.1)
*1時間毎に	[U3] p.43	(vol.1)
1日に	[U3] p.33	(vol.1)
一日	[U6] p.87	(vol.1)
一番	[U3] p.34	(vol.1)
一部	[U24] p.100	(vol.2)
いつ	[U3] p.40	(vol.1)
いつか	[U9] p.122	(vol.1)
5日	[U5] p.80	(vol.1)
いっしょうけんめい	[U21] p.74	(vol.2)
いっしょに	[U3] p.36	(vol.1)
行っています	[U8] p.108	(vol.1)
いってください〈表〉	[U0] p.1	(vol.1)
いつも	[U3] p.32	(vol.1)
犬	[U23] p.92	(vol.2)
今	[U2] p.19	(vol.1)
今から	[U24] p.100	(vol.2)
います［いる］	[U6] p.86	(vol.1)
いますか〈表〉	[U2] p.20	(vol.1)
今でも	[U8] p.110	(vol.1)
意味	[U16] p.28	(vol.2)
妹	[U2] p.15	(vol.1)
*妹さん	[U2] p.24	(vol.1)
いやな	[U24] p.102	(vol.2)
*イヤリング	[U6] p.90	(vol.1)

入(い)れます[入れる] [U10] p.132 (vol.1)
いろいろ [U7] p.102 (vol.1)
いろいろな [U5] p.70 (vol.1)
院生(いんせい) [U1] p.7 (vol.1)
インターネット [U4] p.54 (vol.1)
インド [U16] p.32 (vol.2)
*インドネシア語(ご) [U2] p.25 (vol.1)
インド料理(りょうり) [U5] p.77 (vol.1)

う

*ウィスキー [U3] p.42 (vol.1)
上(うえ) [U2] p.19 (vol.1)
うがいをします[うがいをする] [U13] p.2 (vol.2)
受(う)け取(と)ります[受け取る] [U23] p.94 (vol.2)
受(う)けます[受ける] [U11] p.144 (vol.1)
動(うご)きます[動く] [U23] p.94 (vol.2)
うすい〈味(あじ)が〉 [U6] p.86 (vol.1)
歌(うた) [U9] p.122 (vol.1)
歌(うた)います[歌う] [U9] p.122 (vol.1)
うち [U4] p.50 (vol.1)
移(うつ)ります[移る] [U23] p.94 (vol.2)
*うどん屋(や) [U5] p.77 (vol.1)
うまい [U16] p.28 (vol.2)
海(うみ) [U24] p.102 (vol.2)
うれしい [U17] p.38 (vol.2)

え

エアコン [U10] p.138 (vol.1)
映画(えいが) [U4] p.55, (U3) (vol.1)
映画館(えいがかん) [U6] p.87 (vol.1)
英語(えいご) [U2] p.16, (U1) (vol.1)
ええ〈表〉 [U7] p.102 (vol.1)
駅(えき) [U4] p.63 (vol.1)
えっ〈表〉 [U7] p.102 (vol.1)
絵本(えほん) [U17] p.40 (vol.2)
選(えら)びます[選ぶ] [U11] p.142 (vol.1)
〜円(えん) [U3] p.44 (vol.1)
エンジニア [U8] p.110 (vol.1)
エンジン [U23] p.94 (vol.2)
演奏(えんそう)します[演奏する] [U14] p.14 (vol.2)
エンターテインメント [U15] p.20 (vol.2)

お

追(お)いかけます[追いかける] [U23] p.92 (vol.2)
おいしい [U3] p.34 (vol.1)
おいしいですか〈表〉 [U0] p.2 (vol.1)
おいしかったです〈表〉 [U0] p.2 (vol.1)
大(おお)きい [U6] p.86, (U5) (vol.1)
大(おお)きな [U19] p.58 (vol.2)
オーストラリア [U18] p.50 (vol.2)
*お母(かあ)さん [U2] p.24 (vol.1)
おかし [U10] p.132 (vol.1)

*お金(かね)	[U5] p.76	(vol.1)
起(お)きます	[U4] p.50	(vol.1)
お客(きゃく)さん	[U20] p.68	(vol.2)
奥(おく)	[U5] p.72	(vol.1)
*奥(おく)さん	[U2] p.24	(vol.1)
送(おく)ります	[U6] p.87	(vol.1)
おこづかい	[U17] p.38	(vol.2)
お好(この)み焼(や)き	[U16] p.30,(U5)	(vol.2)
*お好(この)み焼(や)き屋(や)	[U5] p.77	(vol.1)
(お)酒(さけ)	[U3] p.36	(vol.1)
(お)皿(さら)	[U8] p.115	(vol.1)
*おじいさん	[U2] p.24	(vol.1)
教(おし)えます	[U18] p.48	(vol.2)
教(おし)えています	[U8] p.108	(vol.1)
おじさん	[U17] p.38,(U2)	(vol.2)
*お正月(しょうがつ)	[U9] p.127	(vol.1)
(お)すし	[U3] p.33	(vol.1)
(お)寿司屋(すしや)	[U5] p.77	(vol.1)
遅(おそ)い	[U9] p.124	(vol.1)
遅(おそ)く	[U20] p.66	(vol.2)
おだやかな	[U12] p.156	(vol.1)
夫(おっと)	[U2] p.19	(vol.1)
音(おと)	[U23] p.94	(vol.2)
*お父(とう)さん	[U2] p.24	(vol.1)
弟(おとうと)	[U2] p.15	(vol.1)
*弟(おとうと)さん	[U2] p.24	(vol.1)
男(おとこ)の子(こ)	[U2] p.18	(vol.1)
男(おとこ)の人(ひと)	[U8] p.115	(vol.1)
おなかがすきます［おなかがすく］	[U6] p.86	(vol.1)
同(おな)じ	[U8] p.108	(vol.1)
*お兄(にい)さん	[U2] p.24	(vol.1)
*お姉(ねえ)さん	[U2] p.24	(vol.1)
*おばあさん	[U2] p.24	(vol.1)
*おばさん	[U2] p.24	(vol.1)
おはようございます〈表〉	[U0] p.1	(vol.1)
(お)風呂(ふろ)	[U4] p.53	(vol.1)
(お)弁当(べんとう)	[U4] p.51	(vol.1)
覚(おぼ)えます［覚える］	[U22] p.84	(vol.2)
*(お)水(みず)	[U3] p.42	(vol.1)
思(おも)います［思う］	[U12] p.153	(vol.1)
おもしろい	[U6] p.87	(vol.1)
おもちゃ	[U17] p.40	(vol.2)
思(おも)っています	[U9] p.118	(vol.1)
*降(お)ります［降りる］	[U6] p.92	(vol.1)
オレンジジュース	[U3] p.32	(vol.1)
おろします［おろす］	[U10] p.138	(vol.1)
終(お)わり	[U24] p.102	(vol.2)
おわりましょう〈表〉	[U0] p.1	(vol.1)
終(お)わります［終わる］	[U4] p.50	(vol.1)
音楽(おんがく)	[U3] p.36	(vol.1)
音読(おんどく)	[U22] p.84	(vol.2)
女(おんな)の子(こ)	[U2] p.18	(vol.1)
女(おんな)の人(ひと)	[U8] p.115	(vol.1)

か

カ		[U23] p.92	(vol.2)
〜が		[U20] p.66	(vol.2)
〜が(〜で)一番〜〈AGP〉	いちばん	[U24] p.102	(vol.2)
*カーディガン		[U6] p.90	(vol.1)
〜回	かい	[U3] p.33	(vol.1)
会議	かいぎ	[U4] p.52	(vol.1)
*会計士	かいけいし	[U2] p.25	(vol.1)
外国	がいこく	[U8] p.110	(vol.1)
外国語	がいこくご	[U8] p.108	(vol.1)
外国語学部	がいこくごがくぶ	[U7] p.100	(vol.1)
外国人	がいこくじん	[U8] p.110	(vol.1)
会社	かいしゃ	[U4] p.61	(vol.1)
会社員	かいしゃいん	[U2] p.16	(vol.1)
階段	かいだん	[U23] p.92	(vol.2)
*回転寿司	かいてんずし	[U5] p.77	(vol.1)
買います[買う]	か	[U4] p.51	(vol.1)
買い物	かもの	[U6] p.86	(vol.1)
会話	かいわ	[U7] p.101	(vol.1)
帰ってきます[帰ってくる]	かえ	[U20] p.66	(vol.2)
帰ります[帰る]	かえ	[U4] p.50	(vol.1)
カキ		[U3] p.34	(vol.1)
書きます[書く]	か	[U10] p.137	(vol.1)
学生	がくせい	[U1] p.4	(vol.1)
学生ですか〈表〉	がくせい	[U1] p.6	(vol.1)
〜学部	がくぶ	[U1] p.4〈→p.7〉	(vol.1)
*学部生	がくぶせい	[U1] p.7	(vol.1)
学部は？〈表〉	がくぶ	[U1] p.6	(vol.1)
*〜か月	がつ	[U5] p.80	(vol.1)
囲みます[囲む]	かこ	[U24] p.102	(vol.2)
かさ		[U12] p.156,(U10)	(vol.1)
家事	かじ	[U15] p.22	(vol.2)
風	かぜ	[U12] p.156	(vol.1)
カゼ		[U12] p.154	(vol.1)
家族	かぞく	[U2] p.14	(vol.1)
家族旅行	かぞくりょこう	[U23] p.94	(vol.2)
〜方〈AGP〉	かた	[U16] p.28	(vol.2)
カタカナ		[U24] p.100	(vol.2)
かたづけます[かたづける]		[U19] p.60	(vol.2)
*〜月	がつ	[U5] p.80〈→p.80〉	(vol.1)
学会	がっかい	[U18] p.50	(vol.2)
学校	がっこう	[U4] p.50,(U2)	(vol.1)
*カップ		[U6] p.91	(vol.1)
カップラーメン		[U4] p.54	(vol.1)
家庭教師	かていきょうし	[U21] p.74	(vol.2)
悲しい	かな	[U6] p.87	(vol.1)
必ず	かなら	[U10] p.132	(vol.1)
彼女	かのじょ	[U5] p.72	(vol.1)
かばん		[U10] p.138	(vol.1)
歌舞伎	かぶき	[U9] p.122	(vol.1)
*かぶります[かぶる]		[U10] p.136	(vol.1)
〜がほしい〈AGP〉		[U15] p.22	(vol.2)
科目	かもく	[U11] p.142	(vol.1)

かゆい	[U23] p.92	(vol.2)
*火曜日(かようび)	[U5] p.80	(vol.1)
～から〈表〉	[U7] p.100	(vol.1)
*からい	[U5] p.79	(vol.1)
カラオケ	[U9] p.122	(vol.1)
～から来(き)ました	[U1] p.4	(vol.1)
体(からだ)	[U21] p.78	(vol.2)
*彼(氏)(かれ し)	[U5] p.77	(vol.1)
カレー	[U16] p.32	(vol.2)
かわいい	[U6] p.86	(vol.1)
かわいそうな	[U21] p.74	(vol.2)
変(か)わります[変わる]	[U24] p.102	(vol.2)
考(かんが)えます[考える]	[Sup.U.] p.110	(vol.2)
関係(かんけい)	[U15] p.20	(vol.2)
観光(かんこう)スポット	[U18] p.50	(vol.2)
韓国語(かんこくご)	[U2] p.25	(vol.1)
韓国料理(かんこくりょうり)	[U5] p.77	(vol.1)
漢字(かんじ)	[U16] p.28	(vol.2)
簡単(かんたん)な	[U7] p.101	(vol.1)

き

木(き)	[U6] p.86	(vol.1)
聞(き)いています	[U8] p.115	(vol.1)
きいてください〈表〉	[U0] p.1	(vol.1)
黄色(きいろ)	[U24] p.102	(vol.2)
キウイ	[U3] p.41	(vol.1)
聞(き)きます[聞く]	[U3] p.36	(vol.1)
聞(き)こえます[聞こえる]	[U7] p.100	(vol.1)
季節(きせつ)	[U9] p.118	(vol.1)
北(きた)	[U19] p.58	(vol.2)
キッチン	[U19] p.60	(vol.2)
切符(きっぷ)	[U18] p.48	(vol.2)
きのう	[U23] p.92, (U5)	(vol.2)
きびしい	[U8] p.108	(vol.1)
着(き)ます[着る]	[U9] p.122	(vol.1)
来(き)ます[来(く)る]	[U1] p.4	(vol.1)
決(き)めます[決める]	[U15] p.20	(vol.2)
気持(きも)ち	[U24] p.102	(vol.2)
着物(きもの)	[U9] p.122	(vol.1)
キャンディ	[U10] p.132	(vol.1)
キャンパス	[Sup.U.] p.108	(vol.2)
急(きゅう)に	[U23] p.92	(vol.2)
*牛肉(ぎゅうにく)	[U3] p.41	(vol.1)
牛乳(ぎゅうにゅう)	[U3] p.33	(vol.1)
今日(きょう)	[U5] p.80	(vol.1)
教科書(きょうかしょ)	[U12] p.152	(vol.1)
教室(きょうしつ)	[U10] p.134	(vol.1)
*兄弟(きょうだい)	[U2] p.24	(vol.1)
京都(きょうと)	[U9] p.118	(vol.1)
興味(きょうみ)	[Sup.U.] p.108	(vol.2)
曲(きょく)	[U14] p.14	(vol.2)
*去年(きょねん)	[U5] p.80	(vol.1)
きらいな	[U21] p.74	(vol.2)

INDEX

きれいな	[U6] p.86	(vol.1)
銀行(ぎんこう)	[U8] p.108, (U4)	(vol.1)
銀行員(ぎんこういん)	[U2] p.15	(vol.1)
近所(きんじょ)	[U8] p.108	(vol.1)
近代的な(きんだいてき)	[U7] p.101	(vol.1)
金曜日(きんようび)	[U3] p.36	(vol.1)

く

クアラルンプール	[U7] p.101	(vol.1)
空気(くうき)	[Sup.U.] p.108	(vol.2)
空港(くうこう)	[U18] p.46	(vol.2)
薬(くすり)	[U8] p.108	(vol.1)
*くだもの	[U5] p.76	(vol.1)
くつ	[U6] p.86	(vol.1)
クッキー	[U3] p.34	(vol.1)
国(くに)	[U5] p.70	(vol.1)
暗い(くら)	[U13] p.2	(vol.2)
～くらい	[U4] p.50	(vol.1)
クラシック	[U3] p.36	(vol.1)
*グラス	[U6] p.91	(vol.1)
*グラタン	[U5] p.77	(vol.1)
クリスマス	[U17] p.40, (U9)	(vol.2)
苦しい(くる)	[Sup.U.] p.112	(vol.2)
*車(くるま)	[U4] p.63	(vol.1)
くれます[くれる]	[U17] p.38	(vol.2)
黒い(くろ)	[U5] p.72	(vol.1)
クロワッサン	[U3] p.32	(vol.1)
～くん	[U19] p.60	(vol.2)

け

～系(けい)	[U16] p.28	(vol.2)
経営しています(けいえい)	[U8] p.108	(vol.1)
経験(けいけん)	[U23] p.94	(vol.2)
経済(けいざい)	[U21] p.76	(vol.2)
経済学(けいざいがく)	[U8] p.108	(vol.1)
計算(けいさん)	[U22] p.84	(vol.2)
携帯電話(けいたいでんわ)	[U11] p.142	(vol.1)
ケーキ	[U7] p.102	(vol.1)
ゲーム	[U20] p.66	(vol.2)
*消しゴム(け)	[U6] p.91	(vol.1)
けします[けす]	[U10] p.137	(vol.1)
結婚しています(けっこん)	[U8] p.108	(vol.1)
結婚します[結婚する](けっこん)	[U14] p.12	(vol.2)
月曜日(げつようび)	[U12] p.153, (U5)	(vol.1)
元気な(げんき)	[U8] p.110	(vol.1)
研究(けんきゅう)	[U4] p.63	(vol.1)
研究(を)しています(けんきゅう)	[U8] p.109	(vol.1)
研究室(けんきゅうしつ)	[U4] p.51	(vol.1)
*研究生(けんきゅうせい)	[U1] p.7	(vol.1)
言語理解(げんごりかい)	[U15] p.22	(vol.2)

こ

～個(こ)	[U22] p.84	(vol.2)
～後(ご)	[U15] p.20	(vol.2)

～語	[U1] p.5〈→p.25〉	(vol.1)
郊外	[U7] p.101	(vol.1)
工学	[U1] p.4	(vol.1)
高校	[U2] p.16	(vol.1)
高校生	[U2] p.15	(vol.1)
高層ビル	[U7] p.101	(vol.1)
紅茶	[U3] p.32	(vol.1)
後輩	[U20] p.68,(U5)	(vol.2)
*公務員	[U2] p.25	(vol.1)
紅葉	[U9] p.118	(vol.1)
声	[U10] p.134	(vol.1)
声をかけます[声をかける]	[Sup.U.] p.108	(vol.2)
*コート	[U6] p.90	(vol.1)
コーヒー	[U3] p.33	(vol.1)
コーラ	[U21] p.78,(U3)	(vol.2)
ゴールデンウィーク	[U24] p.102,(U9)	(vol.2)
*ご家族	[U2] p.24	(vol.1)
*ご兄弟	[U2] p.24	(vol.1)
ここ	[U7] p.101	(vol.1)
午後	[U4] p.52	(vol.1)
9日	[U5] p.80	(vol.1)
*小雨	[U12] p.159	(vol.1)
*ご主人	[U2] p.24	(vol.1)
コショー	[U10] p.138	(vol.1)
午前	[U13] p.4	(vol.2)
答え	[Sup.U.] p.112	(vol.2)
答えます[答える]	[U23] p.92	(vol.2)
ごちそうさま〈表〉	[U0] p.2	(vol.1)
ごちそうします［ごちそうする］	[U20] p.68	(vol.2)
こと	[U7] p.102	(vol.1)
今年	[U7] p.102,(U5)	(vol.1)
言葉	[U10] p.134	(vol.1)
子ども	[U2] p.18	(vol.1)
断ります[断る]	[Sup.U.] p.108	(vol.2)
ごはん	[U3] p.33	(vol.1)
コピー	[U20] p.68	(vol.2)
～コマ	[U12] p.152	(vol.1)
ゴミ	[U10] p.132	(vol.1)
ゴミ袋	[U10] p.132	(vol.1)
コミュニケーション	[U15] p.22	(vol.2)
*ご両親	[U2] p.24	(vol.1)
これ	[U2] p.14	(vol.1)
これからも	[Sup.U.] p.114	(vol.2)
ころ	[U24] p.102	(vol.2)
～ごろ	[U4] p.50	(vol.1)
転びます[転ぶ]	[U23] p.92	(vol.2)
こわい	[U13] p.2	(vol.2)
こわします[こわす]	[U23] p.94	(vol.2)
こわれています［こわれている］	[U23] p.94	(vol.2)
コンサルタント	[U2] p.14	(vol.1)
*今週	[U5] p.80	(vol.1)
こんなに	[Sup.U.] p.112	(vol.2)
こんにちは〈表〉	[U0] p.2,(U1)	(vol.1)

こんばんは〈表〉	[U0] p.2	(vol.1)
コンピュータ	[U8] p.108	(vol.1)

さ

～さい	[U1] p.5〈→p.26〉	(vol.1)
最近(さいきん)	[U7] p.101	(vol.1)
最後(さいご)	[U5] p.72	(vol.1)
最後(さいご)に	[U5] p.71	(vol.1)
最初(さいしょ)に	[U5] p.72	(vol.1)
サイフ	[U17] p.38	(vol.2)
魚(さかな)	[U3] p.33	(vol.1)
魚料理(さかなりょうり)	[U5] p.72	(vol.1)
さきます[さく]	[U24] p.102	(vol.2)
サクラ	[U9] p.118	(vol.1)
酒(さけ)	[U3] p.36	(vol.1)
さします[さす]	[U23] p.92	(vol.2)
さしみ	[U3] p.33	(vol.1)
誘(さそ)います[誘う]	[U20] p.68	(vol.2)
サッカー	[U2] p.18	(vol.1)
さむい	[U9] p.118	(vol.1)
皿(さら)	[U8] p.115	(vol.1)
サラダ	[U3] p.32	(vol.1)
さわやかな	[Sup.U.] p.110	(vol.2)
サンドイッチ	[U3] p.32	(vol.1)
～さん	[U1] p.4	(vol.1)

し

～時(じ)	[U4] p.50	(vol.1)
～し〈表〉	[U7] p.102	(vol.1)
シーフード	[U16] p.32	(vol.2)
ジーンズ	[U6] p.86	(vol.1)
J(ジェイ)ポップ	[U14] p.10,(U3)	(vol.2)
塩(しお)	[U10] p.138	(vol.1)
～しか～ません〈AGP〉	[U24] p.100	(vol.2)
仕方(しかた)	[U18] p.48	(vol.2)
しかります[しかる]	[U20] p.66	(vol.2)
時間(じかん)	[U5] p.70	(vol.1)
～時間(じかん)	[U4] p.52	(vol.1)
～時間目(じかんめ)	[U13] p.2	(vol.2)
試験(しけん)	[Sup.U.] p.112	(vol.2)
仕事(しごと)	[U4] p.52	(vol.1)
仕事(しごと)(を)します [仕事をする]	[U4] p.52	(vol.1)
仕事(しごと)をしています	[U8] p.108	(vol.1)
辞書(じしょ)	[U23] p.92	(vol.2)
システム工学(こうがく)	[U15] p.22	(vol.2)
下(した)	[U2] p.19	(vol.1)
～時代(じだい)	[Sup.U.] p.114	(vol.2)
しっかり	[Sup.U.] p.112	(vol.2)
実験(じっけん)	[U4] p.51	(vol.1)
実験(じっけん)(を)します [実験をする]	[U13] p.4	(vol.2)
知(し)っています	[U6] p.87	(vol.1)
実(じつ)は	[U7] p.102	(vol.1)

自転車（じてんしゃ） [U4] p.50 (vol.1)
シドニー [U18] p.50 (vol.2)
市内（しない） [U18] p.50 (vol.2)
～(し)ないで、～〈AGP〉 [U15] p.22 (vol.2)
～(し)なくてもいいです〈AGP〉 [U15] p.20 (vol.2)
しばらく [U23] p.94 (vol.2)
自分（じぶん） [U10] p.132 (vol.1)
自分（じぶん）で [U11] p.142,(U3) (vol.1)
自分（じぶん）で〈AGP〉 [U16] p.32 (vol.2)
します〈仕事（しごと）を〉[する] [U4] p.52 (vol.1)
します〈手（て）ぶくろを〉[する] [U12] p.154 (vol.1)
しめます[しめる] [U10] p.137 (vol.1)
じゃあ〈表〉 [U7] p.102 (vol.1)
*シャーペン [U6] p.91 (vol.1)
*ジャケット [U6] p.90 (vol.1)
写真（しゃしん） [U10] p.132 (vol.1)
ジャズ [U3] p.36 (vol.1)
社長（しゃちょう） [U2] p.25 (vol.1)
シャツ [U6] p.86 (vol.1)
*しゃぶしゃぶ [U5] p.77 (vol.1)
シャワーをします[シャワーをする] [U13] p.2 (vol.2)
*ジャンパー [U6] p.90 (vol.1)
シャンプー [U11] p.142 (vol.1)
*～週間（しゅうかん） [U5] p.80 (vol.1)
シュークリーム [U3] p.34 (vol.1)
就職（しゅうしょく）します[就職する] [U15] p.20 (vol.2)
ジュース [U3] p.42 (vol.1)
週（しゅう）に [U3] p.35 (vol.1)
週末（しゅうまつ） [Sup.U.] p.114 (vol.2)
修理（しゅうり） [U23] p.94 (vol.2)
授業（じゅぎょう） [U4] p.50 (vol.1)
塾（じゅく） [U22] p.86 (vol.2)
*宿題（しゅくだい） [U11] p.146 (vol.1)
出席（しゅっせき）します[出席する] [U18] p.50 (vol.2)
出張（しゅっちょう） [U19] p.58 (vol.2)
出発（しゅっぱつ） [U18] p.46 (vol.2)
出版（しゅっぱん）します[出版する] [U23] p.100 (vol.2)
主婦（しゅふ） [U8] p.110,(U2) (vol.1)
趣味（しゅみ） [U14] p.10 (vol.2)
種類（しゅるい） [U19] p.58 (vol.2)
準備（じゅんび）(を)します[準備をする] [U13] p.4 (vol.2)
紹介（しょうかい）します[紹介する] [U2] p.14 (vol.1)
小学生（しょうがくせい） [U20] p.66,(U2) (vol.2)
小学校（しょうがっこう） [U17] p.40,(U2) (vol.2)
上手（じょうず）な [U5] p.70 (vol.1)
*しょうちゅう [U3] p.42 (vol.1)
小（しょう）テスト [U22] p.84 (vol.2)
情報工学（じょうほうこうがく） [U15] p.20 (vol.2)
情報通信（じょうほうつうしん） [U15] p.20 (vol.2)
しょうゆ [U10] p.138 (vol.1)
将来（しょうらい） [U15] p.20 (vol.2)

ジョギング(を)します［ジョギングをする］ [U4] p.52 (vol.1)
食事(を)します［食事をする］ [U17] p.38 (vol.2)
食堂 [U4] p.50 (vol.1)
女性 [U15] p.22 (vol.2)
食器 [U6] p.86 (vol.1)
ショッピングモール [U6] p.86 (vol.1)
シラバス [U11] p.142 (vol.1)
調べます［調べる］ [U10] p.137 (vol.1)
白い [U6] p.86 (vol.1)
～人 [U7] p.100 (vol.1)
進学します［進学する］ [U15] p.22 (vol.2)
親戚 [U17] p.38 (vol.2)
親切な [U5] p.72 (vol.1)
心配します［心配する］ [Sup.U.] p.110 (vol.2)
心配な [Sup.U.] p.108 (vol.2)
シンプルな [U16] p.32 (vol.2)
新聞 [U4] p.52 (vol.1)

す

～(することも)あります［ある］ [U13] p.4 (vol.2)
～すぎます〈AGP〉 [Sup.U.] p.110 (vol.2)
水泳 [U3] p.35 (vol.1)
水泳(を)します［水泳をする］ [U3] p.35 (vol.1)
吸います［吸う］ [Sup.U.] p.108 (vol.2)
*水曜日 [U5] p.80 (vol.1)
*スーツ [U6] p.90 (vol.1)
スーツケース [U18] p.46 (vol.2)
スープ [U19] p.60,(U3) (vol.2)
スカート [U6] p.86 (vol.1)
スカーフ [U17] p.38 (vol.2)
好きな [U2] p.18 (vol.1)
*すき焼き [U5] p.77 (vol.1)
少ない [U24] p.100 (vol.2)
すぐに [U12] p.154 (vol.1)
少し [U3] p.36 (vol.1)
少しずつ [Sup.U.] p.114 (vol.2)
すし [U3] p.33 (vol.1)
*寿司屋 [U5] p.77 (vol.1)
すずしい [U9] p.118 (vol.1)
進みます［進む］ [U15] p.20 (vol.2)
ずっと [U8] p.110 (vol.1)
すてきな [U5] p.72 (vol.1)
ストライプ [U6] p.86 (vol.1)
スニーカー [U10] p.132 (vol.1)
*スプーン [U6] p.91 (vol.1)
*スペイン語 [U2] p.25 (vol.1)
*スペイン料理 [U5] p.77 (vol.1)
スポーツ [U3] p.35 (vol.1)
ズボン [U10] p.132 (vol.1)
すみません〈表〉 [U0] p.2,(U7) (vol.1)
相撲 [U9] p.122 (vol.1)

～する／～した□〈AGP〉	[U15] p.20	(vol.2)
～(する)ことになりました〈AGP〉	[U23] p.94	(vol.2)
～(する)ようになりました〈AGP〉	[U16] p.32	(vol.2)
すると〈AGP〉	[U23] p.94	(vol.2)
座(すわ)っています	[U8] p.110	(vol.1)
座(すわ)ります[座る]	[U5] p.72	(vol.1)
住(す)んでいます	[U7] p.101	(vol.1)

せ

生活(せいかつ)	[U11] p.142	(vol.1)
成績(せいせき)	[U20] p.66	(vol.2)
セーター	[U17] p.40,(U6)	(vol.2)
世界(せかい)	[Sup.U.] p.114	(vol.2)
セキュリティ	[U23] p.94	(vol.2)
石(せっ)けん	[U11] p.142	(vol.1)
接続(せつぞく)	[U18] p.48	(vol.2)
絶対(ぜったい)(に)	[U21] p.74	(vol.2)
説明(せつめい)します[説明する]	[U10] p.134	(vol.1)
世話(せわ)(を)します[世話をする]	[U20] p.66	(vol.2)
選手(せんしゅ)	[U21] p.76	(vol.2)
先週(せんしゅう)	[U5] p.71	(vol.1)
先生(せんせい)	[U1] p.5	(vol.1)
ぜんぜん	[U20] p.68	(vol.2)
洗濯(せんたく)(を)します[洗濯をする]	[U11] p.142	(vol.1)
洗濯物(せんたくもの)	[U19] p.60	(vol.2)
先輩(せんぱい)	[U5] p.71	(vol.1)
ぜんぶ	[U12] p.156	(vol.1)
専門(せんもん)	[U15] p.20	(vol.2)

そ

そういえば〈表〉	[U7] p.102	(vol.1)
そうじ(を)します[そうじをする]	[U11] p.142	(vol.1)
そうですか〈表〉	[U7] p.101	(vol.1)
そうですね〈表〉	[U7] p.101	(vol.1)
ソース	[U5] p.72	(vol.1)
そこ〈AGP〉	[U23] p.94	(vol.2)
そして	[U2] p.16	(vol.1)
育(そだ)てています	[U8] p.110	(vol.1)
卒業(そつぎょう)します[卒業する]	[U15] p.20	(vol.2)
外(そと)	[U12] p.154	(vol.1)
その	[U5] p.70	(vol.1)
そのとき	[U9] p.118	(vol.1)
*そば屋(や)	[U5] p.77	(vol.1)
*ソフトドリンク	[U3] p.42	(vol.1)
*それ	[U7] p.103	(vol.1)
それから	[U4] p.50	(vol.1)
それで〈AGP〉	[U14] p.12	(vol.2)
それほど	[U20] p.66	(vol.2)
そんなとき	[U13] p.4	(vol.2)

た

タイ	[U16] p.32	(vol.2)

大学（だいがく）	[U1] p.4	(vol.1)
大学院（だいがくいん）	[U8] p.108,(U2)	(vol.1)
大学院生（だいがくいんせい）	[U2] p.15,(U1)	(vol.1)
大学生（だいがくせい）	[U2] p.17,(U1)	(vol.1)
*タイ語（ご）	[U2] p.25	(vol.1)
大使館（たいしかん）	[U18] p.46	(vol.2)
だいじょうぶな	[Sup.U.] p.110	(vol.2)
大好（だいす）きな	[U3] p.32	(vol.1)
大切（たいせつ）な	[Sup.U.] p.114	(vol.2)
だいたい	[U16] p.28	(vol.2)
たいてい	[U3] p.33	(vol.1)
台風（たいふう）	[U12] p.156	(vol.1)
たいへんな	[U11] p.142	(vol.1)
*タイ料理（りょうり）	[U5] p.77	(vol.1)
*高（たか）い〈店（みせ）が〉	[U5] p.78	(vol.1)
*高（たか）い〈山（やま）が〉	[U9] p.120	(vol.1)
だから〈AGP〉	[U16] p.28	(vol.2)
たくさん	[U3] p.32	(vol.1)
*タクシー	[U4] p.63	(vol.1)
～だけ〈AGP〉	[U13] p.4	(vol.2)
たこ焼（や）き	[U16] p.30,(U5)	(vol.2)
出（だ）します〈ゴミを〉[出す]	[U19] p.60	(vol.2)
出（だ）します〈声（こえ）を〉[出す]	[U22] p.84	(vol.2)
*出（だ）します〈宿題（しゅくだい）を〉[出す]	[U11] p.146	(vol.1)
出（だ）します〈水（みず）を〉[出す]	[U10] p.138	(vol.1)
助（たす）けます[助ける]	[U18] p.46	(vol.2)
正（ただ）しい	[Sup.U.] p.112	(vol.2)
～たち	[U4] p.55	(vol.1)
*卓球（たっきゅう）	[U3] p.43	(vol.1)
立（た）っています	[U8] p.115	(vol.1)
楽（たの）しい	[U5] p.70	(vol.1)
楽（たの）しみます[楽しむ]	[U5] p.71	(vol.1)
頼（たの）みます[頼む]	[U20] p.68	(vol.2)
たぶん	[U15] p.20	(vol.2)
食（た）べています	[U8] p.115	(vol.1)
食（た）べます[食べる]	[U3] p.32	(vol.1)
食（た）べ物（もの）	[U5] p.76	(vol.1)
たまご	[U3] p.33	(vol.1)
*たまに	[U3] p.43	(vol.1)
だめな	[U10] p.132	(vol.1)
～ために〈AGP〉	[U18] p.50	(vol.2)
～たら〈AGP〉	[U15] p.20	(vol.2)
だれといっしょに～〈表（ひょう）〉	[U5] p.74	(vol.1)
短期留学生（たんきりゅうがくせい）	[U1] p.7	(vol.1)
誕生日（たんじょうび）	[U17] p.38	(vol.2)

ち

小（ちい）さい〈店（みせ）が〉	[U5] p.72	(vol.1)
*チーズケーキ	[U5] p.77	(vol.1)
チーム	[U21] p.74	(vol.2)
チェック〈スカート〉	[U6] p.86	(vol.1)
チェック〈英語（えいご）の〉	[U20] p.68	(vol.2)
チェックイン・カウンター	[U18] p.46	(vol.2)

チェック(を)します［チェックをする］	[U4] p.53	(vol.1)
近い	[U4] p.50	(vol.1)
ちがいます［ちがう］	[U23] p.92	(vol.2)
近く	[U5] p.70	(vol.1)
*地下鉄	[U4] p.63	(vol.1)
*チキン	[U5] p.76	(vol.1)
地図	[U18] p.50	(vol.2)
父	[U2] p.14	(vol.1)
～中	[U10] p.134	(vol.1)
*中華	[U5] p.77	(vol.1)
中学	[U2] p.18	(vol.1)
中学生	[U2] p.18	(vol.1)
中学校	[U21] p.76,(U2)	(vol.2)
*中華料理	[U5] p.77	(vol.1)
中国	[U6] p.87	(vol.1)
中国語	[U2] p.14	(vol.1)
チューハイ	[U3] p.42	(vol.1)
注文します［注文する］	[U5] p.71	(vol.1)
チョコレート	[U3] p.34	(vol.1)
ちょっと〈少し〉	[U5] p.72	(vol.1)
ちょっと〈断り〉	[U25] p.108	(vol.2)
ちょっと〈少しの間〉	[U25] p.108	(vol.2)
ちらかっています	[U19] p.60	(vol.2)

つ

～つ	[U9] p.118	(vol.1)
1日	[U5] p.80	(vol.1)
通訳	[U20] p.68	(vol.2)
使います［使う］	[U10] p.135	(vol.1)
つかれます［つかれる］	[U6] p.86	(vol.1)
次	[U20] p.68	(vol.2)
月に	[U3] p.35	(vol.1)
着きます［着く］	[U13] p.4	(vol.2)
つぎます［つぐ］	[U21] p.76	(vol.2)
作っています	[U8] p.115	(vol.1)
作ります〈銀行口座を〉［作る］	[U11] p.142	(vol.1)
作ります〈サンドイッチを〉［作る］	[U3] p.32	(vol.1)
作ります〈友だちを〉［作る］	[Sup.U.] p.114	(vol.2)
つけます［つける］	[U10] p.137	(vol.1)
続きます［続く］	[U24] p.102	(vol.2)
続けます［続ける］	[U15] p.20	(vol.2)
～続けます〈AGP〉	[Sup.U.] p.114	(vol.2)
つつみます［つつむ］	[U24] p.102	(vol.2)
勤めています	[U8] p.108	(vol.1)
妻	[U2] p.18	(vol.1)
梅雨	[U24] p.102	(vol.2)
強い	[U12] p.156	(vol.1)
連れて行きます［連れて行く］	[U18] p.48	(vol.2)

て

手	[U10] p.135	(vol.1)
～て〈AGP〉	[U13] p.2	(vol.2)

～で〈AGP〉	[U19] p.60	(vol.2)
～てあります〈AGP〉	[Sup.U.] p.108	(vol.2)
Ｔシャツ(ティー)	[Sup.U.] p.108,(U6)	(vol.2)
ＤＶＤ(ディーブイディー)	[U14] p.10,(U3)	(vol.2)
ティッシュペーパー	[U11] p.142	(vol.1)
～ている間(あいだ)〈AGP〉	[U15] p.22	(vol.2)
テーブル	[U5] p.72	(vol.1)
～ておきます〈AGP〉	[Sup.U.] p.114	(vol.2)
できます［できる］	[U7] p.101	(vol.1)
できるだけ	[U10] p.134	(vol.1)
デザート	[U5] p.76	(vol.1)
ですから〈AGP〉	[U16] p.28	(vol.2)
テスト	[U11] p.144	(vol.1)
手伝(てつだ)います［手伝う］	[U10] p.138	(vol.1)
手伝(てつだ)いをします［手伝いをする］	[U20] p.68	(vol.2)
徹夜(てつや)します［徹夜する］	[U13] p.4	(vol.2)
テニス	[U3] p.35	(vol.1)
手(て)ぶくろ	[U12] p.154,(U6)	(vol.1)
出(で)ます〈会議(かいぎ)に〉［出る］	[U11] p.145	(vol.1)
出(で)ます〈店(みせ)を〉［出る］	[U6] p.87	(vol.1)
～てみたい〈AGP〉	[U19] p.58	(vol.2)
でも	[U3] p.34	(vol.1)
～ても〈AGP〉	[U24] p.100	(vol.2)
～でもいいです〈AGP〉	[U15] p.20	(vol.2)
テレビ	[U4] p.51,(U3)	(vol.1)
天気(てんき)	[U24] p.102	(vol.2)
電気(でんき)	[U10] p.137	(vol.1)
天気予報(てんきよほう)	[U12] p.156	(vol.1)
電子辞書(でんしじしょ)	[U10] p.134	(vol.1)
電車(でんしゃ)	[U4] p.51	(vol.1)
テント	[U9] p.120	(vol.1)
天(てん)ぷら	[U16] p.30,(U5)	(vol.2)
*天(てん)ぷら屋(や)	[U5] p.77	(vol.1)
電話(でんわ)(を)します［電話をする］	[U10] p.134	(vol.1)

と

ドア	[U10] p.137	(vol.1)
「…」と言(い)いました［言う］〈AGP〉	[U19] p.58	(vol.2)
～という［　］〈AGP〉	[U19] p.58	(vol.2)
*ドイツ語(ご)	[U2] p.25	(vol.1)
どういたしまして〈表〉	[U0] p.2	(vol.1)
どうして	[U7] p.100	(vol.1)
どうぞ、よろしく、おねがいします〈表〉	[U1] p.4	(vol.1)
どうぞ、よろしく〈表〉	[U1] p.5	(vol.1)
どうぞ〈表〉	[U7] p.100	(vol.1)
どうでしたか〈表〉	[U6] p.88	(vol.1)
どうですか〈表〉	[U3] p.39	(vol.1)
動物園(どうぶつえん)	[U19] p.58	(vol.2)
同僚(どうりょう)	[U18] p.50	(vol.2)
遠(とお)い	[U4] p.52	(vol.1)
１０日(とおか)	[U5] p.80	(vol.1)

トースト	[U3] p.32	(vol.1)
～と思(おも)います[思う]〈AGP〉	[U16] p.30	(vol.2)
とき	[U3] p.33	(vol.1)
ときどき	[U3] p.32	(vol.1)
得意(とくい)な	[U16] p.32	(vol.2)
独身(どくしん)	[U8] p.110	(vol.1)
特(とく)に	[U3] p.35	(vol.1)
時計(とけい)	[U6] p.90	(vol.1)
どこ	[U24] p.100	(vol.2)
どこから来(き)ましたか〈表〉	[U1] p.6	(vol.1)
どこで〈表〉	[U4] p.56	(vol.1)
どこにも	[Sup.U.] p.110	(vol.2)
図書館(としょかん)	[U4] p.50	(vol.1)
途中(とちゅう)で	[U23] p.94	(vol.2)
とても	[U3] p.34	(vol.1)
(とても)おいしかったです〈表〉	[U0] p.2	(vol.1)
*隣	[U6] p.91	(vol.1)
トマト	[U21] p.78	(vol.2)
トマトソース	[U16] p.32	(vol.2)
止(と)まります[止まる]	[U23] p.94	(vol.2)
止(と)めます[止める]	[U10] p.138	(vol.1)
友(とも)だち	[U3] p.35,(U1)	(vol.1)
土曜日(どようび)	[U6] p.86,(U5)	(vol.1)
ドラマ	[U4] p.55	(vol.1)
*とり肉(にく)	[U3] p.41	(vol.1)
とります〈塩(しお)を〉[とる]	[U10] p.138	(vol.1)
とります〈写真(しゃしん)を〉[とる]	[U10] p.132	(vol.1)
とります〈花(はな)を〉[とる]	[U10] p.132	(vol.1)
*とります〈ぼうしを〉[とる]	[U10] p.136	(vol.1)
*トルコ語(ご)	[U2] p.25	(vol.1)
どれも〈AGP〉	[U17] p.38	(vol.2)
どんな	[U3] p.39	(vol.1)

な

ナイトマーケット	[U23] p.94	(vol.2)
*ナイフ	[U6] p.91	(vol.1)
なおります[なおる]	[U19] p.60	(vol.2)
直(なお)ります[直る]	[U23] p.94	(vol.2)
中(なか)	[U6] p.86	(vol.1)
長(なが)い	[U12] p.154	(vol.1)
長(なが)そで	[U10] p.132	(vol.1)
なかなか	[U11] p.144	(vol.1)
～なさい〈AGP〉	[Sup.U.] p.112	(vol.2)
ナシ	[U3] p.34	(vol.1)
*なぜ	[U7] p.103	(vol.1)
夏(なつ)	[U7] p.102	(vol.1)
納豆(なっとう)	[U16] p.30	(vol.2)
夏休(なつやす)み	[U9] p.118	(vol.1)
何(なに)が〈表〉	[U3] p.40	(vol.1)
何(なに)も〈AGP〉	[U21] p.76	(vol.2)
何(なに)を〈表〉	[U3] p.37	(vol.1)
何(なに)をしていますか〈表〉	[U2] p.20	(vol.1)
7日(なのか)	[U5] p.80	(vol.1)
生(なま)で	[U9] p.124	(vol.1)

生の（なま）	[U14] p.14	(vol.2)
習います[習う]（なら）	[U14] p.14	(vol.2)
なります[なる]	[U15] p.20	(vol.2)
何回も（なんかい）	[U22] p.84	(vol.2)
何さいですか〈表〉（なん）	[U1] p.6	(vol.1)
何時に〈表〉（なんじ）	[U4] p.56	(vol.1)
何で〈表〉（なん）	[U4] p.56	(vol.1)
何でも〈AGP〉（なん）	[U16] p.30	(vol.2)
何人ですか〈表〉（なんにん）	[U2] p.20	(vol.1)
何年生ですか〈表〉（なんねんせい）	[U1] p.6	(vol.1)

に

におい	[U16] p.30	(vol.2)
苦手な（にがて）	[U24] p.100	(vol.2)
*肉（にく）	[U3] p.41	(vol.1)
肉料理（にくりょうり）	[U5] p.76	(vol.1)
*2・3〜（に さん）	[U3] p.33	(vol.1)
日曜日（にちようび）	[U12] p.153,(U5)	(vol.1)
日記（にっき）	[U22] p.84	(vol.2)
日本人（にほんじん）	[U7] p.101	(vol.1)
〜にとって	[Sup.U.] p.112	(vol.2)
日本（にほん）	[U3] p.34	(vol.1)
日本学（にほんがく）	[U2] p.18	(vol.1)
日本語（にほんご）	[U1] p.5	(vol.1)
日本酒（にほんしゅ）	[U9] p.122,(U3)	(vol.1)
日本全国（にほんぜんこく）	[U24] p.102	(vol.2)
日本料理（にほんりょうり）	[U9] p.118,(U5)	(vol.1)
荷物（にもつ）	[U18] p.46	(vol.2)
ニュース	[U4] p.51	(vol.1)
庭（にわ）	[U6] p.86	(vol.1)
〜人（にん）	[U2] p.19〈→p.26〉	(vol.1)
人形（にんぎょう）	[U17] p.40	(vol.2)
人間（にんげん）	[U15] p.22	(vol.2)

ぬ

*ぬぎます[ぬぐ]	[U10] p.136	(vol.1)
盗みます[盗む]（ぬす）	[U23] p.94	(vol.2)

ね

ネクタイ	[U17] p.38	(vol.2)
寝ます[寝る]（ね）	[U4] p.53	(vol.1)
〜年（ねん）	[U3] p.44〈→p.44〉	(vol.1)
〜年(間)（ねん かん）	[U5] p.80〈→p.80〉	(vol.1)
〜年生（ねんせい）	[U1] p.4〈→p.7〉	(vol.1)
年末（ねんまつ）	[U23] p.94	(vol.2)

の

〜のおかげで〈AGP〉	[U22] p.84	(vol.2)
〜ので〈AGP〉	[U16] p.28	(vol.2)
〜のです〈AGP〉	[Sup.U.] p.110	(vol.2)
登ります[登る]（のぼ）	[U9] p.120	(vol.1)
飲みます[飲む]（の）	[U3] p.32	(vol.1)
飲み物（の もの）	[U10] p.134,(U5)	(vol.1)
のり	[U3] p.33	(vol.1)
乗ります[乗る]（の）	[U12] p.156,(U6)	(vol.1)

飲(の)んでいます [U8] p.115 (vol.1)

は

歯(は) [U13] p.2 (vol.2)
葉(は) [U24] p.102 (vol.2)
～は、いいです〈表〉 [U7] p.100 (vol.1)
%(パーセント) [U24] p.102 (vol.2)
はい、(とても)おいしいです〈表〉 [U0] p.2 (vol.1)
はい〈表〉 [U7] p.100 (vol.1)
*～杯(はい) [U3] p.43 (vol.1)
ハイキング [U3] p.35 (vol.1)
入(はい)っています [U23] p.94 (vol.2)
パイナップル [U3] p.34 (vol.1)
ハイヒール [U23] p.94 (vol.2)
入(はい)ります〈お風呂(ふろ)に〉[入る] [U4] p.53 (vol.1)
入(はい)ります〈店(みせ)に〉[入る] [U5] p.72 (vol.1)
入(はい)ります〈小学校(しょうがっこう)に〉[入る] [U17] p.40 (vol.2)
入(はい)ります〈チームに〉[入る] [U21] p.74 (vol.2)
博士課程(はかせかてい) [U15] p.20 (vol.2)
博士号(はかせごう) [U15] p.20 (vol.2)
～ばかり〈AGP〉 [U20] p.66 (vol.2)
はきます[はく] [U10] p.132 (vol.1)
～泊(はく) [U9] p.120 (vol.1)
運(はこ)びます[運ぶ] [U18] p.46 (vol.2)
始(はじ)まります[始まる] [U4] p.50 (vol.1)
初(はじ)めて [U18] p.50 (vol.2)
はじめまして〈表〉 [U1] p.4 (vol.1)
はじめましょう〈表〉 [U0] p.1 (vol.1)
始(はじ)めます[始める] [U14] p.12 (vol.2)
～始(はじ)めます[始める]〈AGP〉 [Sup.U.] p.112 (vol.2)
場所(ばしょ) [U18] p.50 (vol.2)
走(はし)ります[走る] [U10] p.132 (vol.1)
*バス [U4] p.63 (vol.1)
*バスケット(ボール) [U3] p.43 (vol.1)
パスタ [U5] p.72 (vol.1)
バスツアー [U23] p.94 (vol.2)
パソコン [U8] p.108,(U4) (vol.1)
パソコンをしています [U8] p.115 (vol.1)
はたち [U2] p.26 (vol.1)
ハチ [U23] p.92 (vol.2)
20日(はつか) [U5] p.80 (vol.1)
はっきり [Sup.U.] p.112 (vol.2)
パッキング [U18] p.46 (vol.2)
バッグ [U17] p.38 (vol.2)
はっとします[はっとする] [Sup.U.] p.110 (vol.2)
発表(はっぴょう) [U13] p.4 (vol.2)
発明(はつめい)します[発明する] [U24] p.100 (vol.2)
*バドミントン [U3] p.43 (vol.1)
花(はな) [U8] p.110 (vol.1)
話(はなし) [U5] p.70 (vol.1)
話(はな)します[話す] [U5] p.70 (vol.1)
話(はなし)をしています [U8] p.115 (vol.1)

*バナナ	[U3] p.41	(vol.1)
母（はは）	[U2] p.14	(vol.1)
ハム	[U3] p.32	(vol.1)
速（はや）い	[U22] p.84	(vol.2)
早（はや）く	[U12] p.156	(vol.1)
*払（はら）います［払う］	[U5] p.76	(vol.1)
春（はる）	[U9] p.118	(vol.1)
*春休（はるやす）み	[U9] p.127	(vol.1)
*バレーボール	[U3] p.43	(vol.1)
パン	[U3] p.32	(vol.1)
～半（はん）	[U4] p.50	(vol.1)
ハンカチ	[U17] p.38	(vol.2)
晩（ばん）ごはん	[U4] p.53	(vol.1)
*パンツ	[U6] p.90	(vol.1)
バンド	[U14] p.14	(vol.2)
ハンバーガー	[U4] p.54	(vol.1)

ひ

日（ひ）	[U12] p.154	(vol.1)
*ピアス	[U6] p.90	(vol.1)
ピアノ	[U8] p.108	(vol.1)
ピアノ教室（きょうしつ）をしています	[U8] p.108	(vol.1)
*ビーフ	[U5] p.76	(vol.1)
ピーマン	[U21] p.78	(vol.2)
ビール	[U8] p.115,(U3)	(vol.1)
日帰（ひがえ）り	[U9] p.120	(vol.1)
ひきます〈カゼを〉［ひく］	[U12] p.154	(vol.1)
ひきます〈ピアノを〉［ひく］	[U14] p.14	(vol.2)
低（ひく）い	[U9] p.120	(vol.1)
飛行機（ひこうき）	[U23] p.94	(vol.2)
ピザ	[U6] p.87,(U5)	(vol.1)
ビジネス	[U2] p.14	(vol.1)
ビスケット	[U10] p.132	(vol.1)
びっくりします［びっくりする］	[U23] p.92	(vol.2)
人（ひと）	[U5] p.72	(vol.1)
ひどい〈一日（いちにち）〉	[U23] p.92	(vol.2)
ひどい〈におい〉	[U16] p.30	(vol.2)
*一人（ひとり）で	[U3] p.43	(vol.1)
1人（ひとり）	[U2] p.26	(vol.1)
ひらがな	[U24] p.100	(vol.2)
昼（ひる）	[U4] p.61	(vol.1)
ビル	[U6] p.87	(vol.1)
昼（ひる）ごはん	[U4] p.50	(vol.1)
広（ひろ）い	[U6] p.86	(vol.1)
*ヒンディー語（ご）	[U2] p.25	(vol.1)

ふ

～部（ぶ）	[U3] p.35	(vol.1)
不安（ふあん）な	[Sup.U.] p.112	(vol.2)
ブーツ	[U6] p.90	(vol.1)
*フォーク	[U6] p.91	(vol.1)
吹（ふ）きます［吹く］	[U12] p.156	(vol.1)
*ぶた肉（にく）	[U3] p.41	(vol.1)
2人（ふたり）	[U2] p.18	(vol.1)

ふつう	[U3] p.32	(vol.1)
2日(ふつか)	[U5] p.80	(vol.1)
踏(ふ)みます[踏む]	[U23] p.94	(vol.2)
冬(ふゆ)	[U9] p.118	(vol.1)
*冬休み(ふゆやすみ)	[U9] p.127	(vol.1)
フライドチキン	[U21] p.74	(vol.2)
ブラインド	[U10] p.138	(vol.1)
*ブラウス	[U6] p.90	(vol.1)
フランス語(ご)	[U8] p.108,(U2)	(vol.1)
*フランス料理(りょうり)	[U5] p.77	(vol.1)
プリペイドカード	[U18] p.48	(vol.2)
降(ふ)ります[降る]	[U12] p.156	(vol.1)
プリン	[U5] p.77	(vol.1)
プリンター	[U9] p.124	(vol.1)
古(ふる)い	[U5] p.72	(vol.1)
フルーツ	[U3] p.32	(vol.1)
*ブレスレット	[U6] p.90	(vol.1)
プレゼント	[U17] p.38	(vol.2)
*フレンチ	[U5] p.77	(vol.1)
風呂(ふろ)	[U4] p.53	(vol.1)
～分(ふん)	[U4] p.50〈→p.64〉	(vol.1)

へ

ベーグル	[U3] p.32	(vol.1)
～ページをあけてください〈表〉	[U0] p.1	(vol.1)
～ページをみてください〈表〉	[U0] p.1	(vol.1)
ベース	[U14] p.14	(vol.2)
ペース	[U10] p.132	(vol.1)
下手(へた)な	[U5] p.71	(vol.1)
別(べつ)	[U23] p.94	(vol.2)
ベッド	[U19] p.60	(vol.2)
*ベトナム語(ご)	[U2] p.25	(vol.1)
*ベトナム料理(りょうり)	[U5] p.77	(vol.1)
部屋(へや)	[U4] p.53	(vol.1)
ヘルシーな	[U16] p.30	(vol.2)
ベルト	[U17] p.38	(vol.2)
勉強(べんきょう)	[U4] p.63	(vol.1)
勉強(べんきょう)(を)します[勉強をする]	[U4] p.51	(vol.1)
勉強(べんきょう)しています	[U7] p.100	(vol.1)
*弁護士(べんごし)	[U2] p.25	(vol.1)
弁当(べんとう)	[U4] p.51	(vol.1)
変(へん)な	[U23] p.94	(vol.2)
便利(べんり)な	[U18] p.48	(vol.2)

ほ

ぼうし	[U10] p.132	(vol.1)
法律(ほうりつ)	[U21] p.76	(vol.2)
ほえます[ほえる]	[U23] p.92	(vol.2)
*ポーク	[U5] p.76	(vol.1)
ポーチ	[U6] p.86	(vol.1)
ボールペン	[U6] p.86	(vol.1)
ほか	[U10] p.134	(vol.1)
ほかに何(なに)を〈表〉	[U5] p.74	(vol.1)

細い	ほそ	[U24] p.102	(vol.2)
北海道	ほっかいどう	[U9] p.118	(vol.1)
*ポップス		[U3] p.43	(vol.1)
ホテル		[U18] p.50	(vol.2)
ほとんど		[U24] p.102	(vol.2)
ほめます[ほめる]		[U20] p.66	(vol.2)
*ポルトガル語	ご	[U2] p.25	(vol.1)
ポロシャツ		[U6] p.86	(vol.1)
本	ほん	[U4] p.55	(vol.1)
*～本	ほん	[U3] p.43	(vol.1)
本当に	ほんとう	[U5] p.71	(vol.1)
本屋	ほんや	[U6] p.87	(vol.1)

ま

毎朝	まいあさ	[U13] p.2	(vol.2)
*毎週	まいしゅう	[U3] p.43	(vol.1)
*毎月	まいつき	[U3] p.43	(vol.1)
毎年	まいとし	[U9] p.120,(U3)	(vol.1)
毎日	まいにち	[U3] p.32	(vol.1)
前	まえ	[U6] p.91	(vol.1)
前(は)	まえ	[U8] p.110	(vol.1)
～前〈AGP〉	まえ	[U16] p.32	(vol.2)
まじめな		[U8] p.110	(vol.1)
また		[U6] p.86	(vol.1)
また		[U10] p.134	(vol.1)
まだ		[U8] p.110	(vol.1)
まだ～ていません〈AGP〉		[U20] p.20	(vol.2)
町	まち	[U7] p.101	(vol.1)
待ちます[待つ]	ま	[U10] p.137	(vol.1)
待っています	ま	[U8] p.115	(vol.1)
～までに〈AGP〉		[U15] p.22	(vol.2)
窓	まど	[U10] p.137	(vol.1)
マフラー		[U12] p.154,(U6)	(vol.1)
マレーシア		[U1] p.4	(vol.1)
マレーシア語	ご	[U7] p.100,(U2)	(vol.1)
マレーシア料理	りょうり	[U5] p.71	(vol.1)
～万	まん	[U3] p.44〈→p.44〉	(vol.1)
マンガ		[U14] p.10,(U9)	(vol.2)
マンゴー		[U3] p.34	(vol.1)

み

*見えます[見える]	み	[U7] p.103	(vol.1)
見送ります[見送る]	みおく	[U18] p.46	(vol.2)
みがきます[みがく]		[U13] p.2	(vol.2)
みかん		[U3] p.34	(vol.1)
短い	みじか	[U22] p.84	(vol.2)
店	みせ	[U5] p.70	(vol.1)
みそしる		[U3] p.33	(vol.1)
道	みち	[U9] p.118	(vol.1)
3日	みっか	[U5] p.80	(vol.1)
見つけます[見つける]	み	[Sup.U.] p.112	(vol.2)
見ています	み	[U8] p.115	(vol.1)
ミネラルウォーター		[U10] p.134,(U3)	(vol.1)
見ます〈サッカーを〉[見る]	み	[U3] p.35	(vol.1)

*見ます〈宿題を〉[見る] [U11] p.146 (vol.1)
ミルク [U7] p.100 (vol.1)
ミルクティー [U3] p.32 (vol.1)
みんな [U5] p.70 (vol.1)

む

6日 [U5] p.80 (vol.1)
昔 [U24] p.100 (vol.2)
むずかしい [U12] p.152 (vol.1)
*むすこ [U2] p.24 (vol.1)
*むすこさん [U2] p.24 (vol.1)
*むすめ [U2] p.24 (vol.1)
*むすめさん [U2] p.24 (vol.1)

め

*メイン(料理) [U5] p.76 (vol.1)
メール [U4] p.53 (vol.1)
*メキシコ料理 [U5] p.77 (vol.1)
メロン [U19] p.60 (vol.2)
メンバー [U8] p.110 (vol.1)

も

もう [U13] p.2 (vol.2)
もう一度 [U13] p.2 (vol.2)
モーツァルト [U14] p.14 (vol.2)
モール [U6] p.86 (vol.1)
*木曜日 [U5] p.80 (vol.1)
文字 [U24] p.100 (vol.2)
もちろん [U19] p.58 (vol.2)
持っていきます [持っていく] [U10] p.132 (vol.1)
持って帰ります [持って帰る] [U10] p.132 (vol.1)
持ってきます [持ってくる] [U7] p.100 (vol.1)
もっと [U20] p.66 (vol.2)
もの [U3] p.34 (vol.1)
モノレール [U19] p.58, (U4) (vol.2)
モモ [U3] p.34 (vol.1)
もらいます[もらう] [U17] p.38 (vol.2)
*モンゴル語 [U2] p.25 (vol.1)
問題 [Sup.U.] p.112 (vol.2)

や

～屋 [U5] p.70〈→p.77〉 (vol.1)
焼き魚 [U3] p.33 (vol.1)
焼きそば [U5] p.71 (vol.1)
焼き鳥 [U5] p.71 (vol.1)
焼き肉 [U5] p.76 (vol.1)
焼き肉屋 [U5] p.70 (vol.1)
*野球 [U3] p.43 (vol.1)
約～ [U24] p.100 (vol.2)
役に立ちます[役に立つ] [U12] p.156 (vol.1)
野菜 [U3] p.32 (vol.1)
野菜ジュース [U22] p.86 (vol.2)

やさしい	[U8] p.108	(vol.1)
安(やす)い	[U5] p.70	(vol.1)
休(やす)み時間(じかん)	[U22] p.84	(vol.2)
休(やす)みます[休む]	[U12] p.152	(vol.1)
山(やま)	[U3] p.35	(vol.1)
山(やま)の会(かい)	[U8] p.110	(vol.1)
山登(やまのぼ)り	[U8] p.110	(vol.1)

ゆ

*郵便局(ゆうびんきょく)	[U4] p.63	(vol.1)
雪(ゆき)	[U9] p.122	(vol.1)
ゆっくり	[U10] p.137	(vol.1)

よ

～よ〈AGP〉	[Sup.U.] p.108	(vol.2)
8日(ようか)	[U5] p.80	(vol.1)
～ようです〈AGP〉	[U23] p.92	(vol.2)
～ようと思(おも)います〈AGP〉	[Sup.U.] p.114	(vol.2)
ヨーグルト	[U3] p.33	(vol.1)
よかったら〈表〉	[U7] p.102	(vol.1)
よく	[U3] p.35	(vol.1)
よく	[U20] p.66	(vol.2)
*横(よこ)	[U6] p.91	(vol.1)
4日(よっか)	[U5] p.80	(vol.1)
読(よ)みます[読む]	[U4] p.52	(vol.1)
読(よ)み物(もの)	[U22] p.84	(vol.2)
夜(よる)	[U3] p.36	(vol.1)
よろしく、おねがいします〈表〉	[U1] p.5	(vol.1)
*弱(よわ)い	[U12] p.159	(vol.1)
読(よ)んでいます	[U8] p.115	(vol.1)
よんでください〈表〉	[U0] p.1	(vol.1)

ら

*ラーメン屋(や)	[U5] p.77	(vol.1)
来月(らいげつ)	[U18] p.50	(vol.2)
*来週(らいしゅう)	[U5] p.80	(vol.1)
*来年(らいねん)	[U5] p.80	(vol.1)
ライブハウス	[U9] p.124	(vol.1)
*ラテン	[U3] p.43	(vol.1)

り

理解(りかい)します[理解する]	[U11] p.142	(vol.1)
*留学生(りゅうがくせい)	[U1] p.7	(vol.1)
寮(りょう)	[U5] p.70	(vol.1)
*両親(りょうしん)	[U2] p.24	(vol.1)
料理(りょうり)	[U5] p.70	(vol.1)
料理(りょうり)(を)します[料理をする]	[U16] p.32	(vol.2)
～料理(りょうり)	[U5] p.71〈→p.77〉	(vol.1)
旅行会社(りょこうがいしゃ)	[U8] p.110	(vol.1)
旅行(りょこう)します[旅行する]	[U9] p.118	(vol.1)
*リング	[U6] p.90	(vol.1)
りんご	[U3] p.34	(vol.1)

る

ルール [U10] p.134 (vol.1)

れ

歴史 [U6] p.87 (vol.1)
歴史的な [U18] p.50 (vol.2)
レストラン [U5] p.71 (vol.1)
レポート [U11] p.144 (vol.1)
連休 [U9] p.120 (vol.1)
練習 [U22] p.84 (vol.2)
レンタカー [U9] p.118 (vol.1)
連絡(を)します［連絡をする］ [U10] p.134 (vol.1)

ろ

*ロシア語 [U2] p.25 (vol.1)
ロック(を)します［ロックをする］ [U23] p.94 (vol.2)
*ロック [U3] p.43 (vol.1)
ロボット [U15] p.22 (vol.2)
論文 [U20] p.68 (vol.2)

わ

ワイン [U5] p.72,［U3］ (vol.1)
分かります［分かる］ [U7] p.100 (vol.1)
別れます［別れる］ [U18] p.46 (vol.2)
～わけではありません〈AGP〉 [Sup.U.] p.114 (vol.2)
*和食 [U5] p.77 (vol.1)
忘れます［忘れる］ [U23] p.92 (vol.2)
わたし [U1] p.4 (vol.1)
わりと [U19] p.60 (vol.2)
*ワンピース [U6] p.90 (vol.1)

ん

～んです [Sup.U.] p.110 (vol.2)

INDEX

■ 接続詞

そして	[U2]p.16	(vol.1)
それから	[U7]p.50	(vol.1)
でも	[U3]p.34	(vol.1)
最後(さいご)に	[U5]p.71	(vol.1)
最初(さいしょ)に	[U5]p.72	(vol.1)
実(じつ)は	[U7]p.102	(vol.1)
もちろん	[U19]p.58	(vol.2)

■ 副詞

いつも	[U3]p.32	(vol.1)	ほとんど	[U24]p.102	(vol.2)
急に	[U23]p.92	(vol.2)	本当(ほんとう)に	[U5]p.71	(vol.1)
すぐに	[U12]p.154	(vol.1)	また	[U6]p.86	(vol.1)
ぜんぶ	[U12]p.156	(vol.1)	もう一度	[U13]p.2	(vol.2)
ぜんぜん	[U20]p.68	(vol.2)	もっと	[U20]p.66	(vol.2)
だいたい	[U16]p.28	(vol.2)	よく	[U3]p.35	(vol.1)
ちょっと	[U5]p.72	(vol.1)	今(いま)	[U2]p.19	(vol.1)
できるだけ	[U10]p.134	(vol.1)	今(いま)でも	[U8]p.110	(vol.1)
ときどき	[U3]p.32	(vol.1)	少(すこ)し	[U3]p.36	(vol.1)
なかなか	[U11]p.144	(vol.1)	特(とく)に	[U3]p.35	(vol.1)
ふつう	[U3]p.32	(vol.1)	ゆっくり	[U10]p.137	(vol.1)

■ 時間

	～分[U4]	～時[U4]
1	いっぷん	いちじ
2	にふん	にじ
3	さんぷん	さんじ
4	よんぷん	よじ
5	ごふん	ごじ
6	ろっぷん	ろくじ
7	ななふん	しちじ
8	はっぷん	はちじ
9	きゅうふん	くじ
10	じゅっぷん	じゅうじ
11	じゅういっぷん	じゅういちじ
12	じゅうにふん	じゅうにじ
?	なんぷん	なんじ

■ カレンダー

	～日[U5]	～月[U5]
1	ついたち	いちがつ
2	ふつか	にがつ
3	みっか	さんがつ
4	よっか	しがつ
5	いつか	ごがつ
6	むいか	ろくがつ
7	なのか	しちがつ
8	ようか	はちがつ
9	ここのか	くがつ
10	とおか	じゅうがつ
11	じゅういちにち	じゅういちがつ
12	じゅうににち	じゅうにがつ
?	なんにち	なんがつ

■ 数え方

	〜さい [U1]	〜人 [U2]	〜円 [U3]	〜回 [U3]	〜杯 [U3]	〜本 [U3]	〜年(間) [U3] [U5]
1	いっさい	ひとり	いちえん	いっかい	いっぱい	いっぽん	いちねん
2	にさい	ふたり	にえん	にかい	にはい	にほん	にねん
3	さんさい	さんにん	さんえん	さんかい	さんばい	さんぼん	さんねん
4	よんさい	よにん	よえん	よんかい	よんはい	よんほん	よねん
5	ごさい	ごにん	ごえん	ごかい	ごはい	ごほん	ごねん
6	ろくさい	ろくにん	ろくえん	ろっかい	ろっぱい	ろっぽん	ろくねん
7	ななさい	ななにん／しちにん	ななえん	ななかい	ななはい	ななほん	ななねん／しちねん
8	はっさい	はちにん	はちえん	はっかい	はっぱい	はっぽん	はちねん
9	きゅうさい	きゅうにん	きゅうえん	きゅうかい	きゅうはい	きゅうほん	きゅうねん
10	じゅっさい	じゅうにん	じゅうえん	じゅっかい	じゅっぱい	じゅっぽん	じゅうねん
?	なんさい	なんにん	なんえん	なんかい	なんはい	なんぼん	なんねん

	〜か月 [U5]	〜週間 [U5]	〜つ [U9]	〜泊 [U9]	〜コマ [U12]	〜時間目 [U13]	〜個 [U22]
1	いっかげつ	いっしゅうかん	ひとつ	いっぱく	ひとコマ	いちじかんめ	いっこ
2	にかげつ	にしゅうかん	ふたつ	にはく	ふたコマ	にじかんめ	にこ
3	さんかげつ	さんしゅうかん	みっつ	さんぱく	さんコマ	さんじかんめ	さんこ
4	よんかげつ	よんしゅうかん	よっつ	よんはく	よんコマ	よじかんめ	よんこ
5	ごかげつ	ごしゅうかん	いつつ	ごはく	ごコマ	ごじかんめ	ごこ
6	ろっかげつ	ろくしゅうかん	むっつ	ろっぱく	ろっコマ	ろくじかんめ	ろっこ
7	ななかげつ	ななしゅうかん	ななつ	ななはく	ななコマ	しちじかんめ	ななこ
8	はっかげつ	はっしゅうかん	やっつ	はっぱく	はっコマ	はちじかんめ	はっこ
9	きゅうかげつ	きゅうしゅうかん	ここのつ	きゅうはく	きゅうコマ	くじかんめ	きゅうこ
10	じゅっかげつ	じゅっしゅうかん	とお	じゅっぱく	じゅっコマ	じゅうじかんめ	じゅっこ
?	なんかげつ	なんしゅうかん	いくつ	なんぱく	なんコマ	なんじかんめ	なんこ

INDEX OF GRAMMAR

Unit 13

□ **～たら①** 〈When ～ ,(immediately ～).〉

ex. 起き**たら**、すぐに歯をみがきます。

□ **～てから** 〈After ～〉

ex. 少し勉強し**てから**、うちに帰ります。

□ **～たら②** 〈When / If ～〉

ex. 10時に学校を出**たら**、12時にうちに着きます。

□ **～とき** 〈When ～〉

ex. 5時間目の授業がある**とき**は、図書館に行きません。

□ **～ながら** 〈While ～〉

ex. 新聞を読み**ながら**、朝ごはんを食べます。

Additional Grammar Points

□ ～て 〈～ , and ～〉：図書館に行って、少し勉強します。

□ ～だけ 〈only ～〉：授業は、たいてい、午前中だけです。

Unit 14

□ **The Dictionary form of the verb** (See row Ⅲ of tables 3-5 in the Appendix)

ex. **本を読む**のが大好きです。
趣味は、**写真をとる**ことです。

□ **Nominalization of the verb：dictionary form ＋の、dictionary form ＋こと**

ex. わたしは、**本を読むの**が大好きです。
わたしの趣味は、**写真をとること**です。

Additional Grammar Points

□ それで 〈therefore, and so〉：それで、わたしも、写真を始めました。

Unit 15

□ **～つもりです** 〈I intend to ～〉

ex. 結婚後も、仕事を続ける**つもりです**。

□ **～と思います** 〈I think ～〉

ex. 大学院で勉強している間は、結婚できない**と思います**。

☐ **Degree of Certainty**

(1)～と思(おも)います

ex. 大学(だいがく)を卒業(そつぎょう)したら、大学院(だいがくいん)に進(すす)む**と思います**。

(2)～だろうと思います / ～んじゃないかと思います

ex. 30 さいになるまでには、結婚(けっこん)する**だろうと思います**。

(3)～かもしれません

ex. 博士課程(はかせかてい)に行(い)く**かもしれません**。

(4)～かどうか、(まだ)分(わ)かりません

ex. 博士課程に進(すす)む**かどうか**まだ**分かりません**。

(5)～か～か、(まだ)決(き)めていません

ex. マレーシアに帰(かえ)る**か**、日本で就職(しゅうしょく)する**か**、まだ**決(き)めていません**。

Additional Grammar Points

☐ Use of plain form in noun-modifying clause：

日本に関係(かんけい)がある仕事(しごと)をしたいと思(おも)っています。

人間(にんげん)とコミュニケーションができるロボットを開発(かいはつ)したいと思っています。

☐ ～がほしいです〈want ～〉：子どもは、2人(ふたり)くらいほしいです。

☐ ～までに〈by ～〉：30 さい(になる)までには、結婚(けっこん)するだろうと思います。

☐ ～でもいいです〈～ will be fine〉：マレーシア人(じん)でも、日本人でも、中国人(ちゅうごく)でも、いいです。

☐ ～たら③〈If ～〉：いい人(ひと)があらわれたら、結婚(けっこん)したいです。

☐ ～ている間〈while one is doing ～〉：大学院(だいがくいん)で勉強(べんきょう)している間は、結婚(けっこん)できないと思(おも)います。

☐ ～後(ご)〈after ～〉：結婚(けっこん)後も、仕事(しごと)を続(つづ)けるつもりです。

☐ まだ～ていません〈have not ～ yet〉：将来(しょうらい)、マレーシアに帰(かえ)るか、日本で就職(しゅうしょく)するか、まだ決めていません。

☐ ～(し)なくてもいいです〈need not to ～, don't have to ～〉：
いい人があらわれなかったら、結婚(けっこん)しなくてもいいです。

☐ ～(し)ないで、～〈Not ～ , ～〉：進学(しんがく)しないで、就職(しゅうしょく)するかもしれません。

Unit 16

☐ **Potential Expression**

ex. わたしは、マレーシア語(ご)と中国語(ちゅうごくご)が**話(はな)せます**。

日本の食(た)べ物(もの)は、何(なん)でも**食(た)べられます**。

Additional Grammar Points

☐ adjective ＋と思(おも)います：日本の食(た)べ物(もの)は、とてもおいしいと思います。

☐ ～方(かた)〈how to ～〉：漢字(かんじ)の書(か)き方も、分かります。

□ ～(する)前〈before ～〉：結婚する前は、わたしは料理ができませんでした。

□ ～ので〈because ～〉：わたしは中国系なので、漢字の意味はだいたい分かります。

□ ～(する)ようになりました〈began to ～〉：結婚してから、料理をするようになりました。

※ You will study '～(よう)になりました' fully in Unit 22.

□ だから / ですから〈so, therefore〉：ですから、日本語の勉強は、あまりたいへんではありませんでした。

□ 何でも〈whatever〉：日本の食べ物は、何でも食べられます。

□ 自分で〈by oneself〉：最近は、バジルソースも、自分で作るようになりました。

Unit 17

□ **Expressions of Giving and Receiving**

(1) あげる〈give〉

ex. 毎年、クリスマスには、子どもたちにいろいろな物を**あげました**。

(2) もらう〈be given, receive〉

ex. 日本に来るとき、わたしは、いろいろな人からプレゼントを**もらいました**。

(3) くれる〈give to me or my family / close friend / etc.〉

ex. 父は、時計を**くれました**。

Additional Grammar Points

□ どれも〈everything〉：どれも、とてもすてきでした。

Unit 18

□ **Verb ＋ Giving or Receiving**

(1) ～てもらう〈receiving an act of kindness〉

ex. 国を出るとき、わたしは、いろいろな人に**助けてもらいました**。

(2) ～てくれる〈giving an act of kindness to me or my kin〉

ex. 兄は、大使館にいっしょに**行ってくれました**。

Additional Grammar Points

□ ～(する)ために〈in order to ～〉：来月、わたしは、学会に出席するために、オーストラリアのシドニーに行きます。

Unit 19

□ **Verb ＋ Giving：～てあげる**〈giving an act of kindness〉

ex. わたしは、**部屋のそうじをしてあげました**。

□ **～そうです①**〈I heard that ～〉

ex. シドニーの北には、大きな動物園がある**そうです**。

□～そうです② 〈It sounds / looks / smells ～, It seems that ～, ～ seem to ～〉

ex. 楽しい出張になりそうです。

Additional Grammar Points

□ ～で 〈because of ～〉：大川くんは、先週、カゼで学校を休みました。

□「…」と言いました 〈said "～."〉：「おいしい、おいしい」と言いながら、スープを飲みました。

□ ～てみる 〈have a try of ～〉：時間があったら、行ってみたいと思っています。

□ ～という□ 〈□ called ～〉：シドニーでは、ライトレールという電車が走っているそうです。

Unit 20

□ **Passive Expression A**：Receiving another person's psychological or verbal action

ex. わたしは、父によくほめられました。

大学院生のときは、先生からよく仕事を頼まれました。

□～ように言われました 〈be told to ～〉

ex. 姉は、もっと早くうちに帰ってくるように言われました。

Additional Grammar Points

□ ～ばかり 〈nothing but ～〉：弟は、うちでゲームばかりしていました。

Unit 21

□ **Causative Expression**

(1) Having someone to do something

ex. 母は兄に、野菜を食べさせました。

(2) Allowing someone to do something

ex. 兄は、友だちと外で遊びたかったです。でも、父は、遊ばせませんでした。

□ ～(さ)せてくれました 〈kindly let *me* ～〉

ex. 母は、（わたしに）何でも食べさせてくれました。

□ ～(さ)せようとしました 〈tried to force someone to ～〉

ex. 母はわたしに、ピーマンとトマトを食べさせようとしました。

□ ～てほしい 〈want someone to ～〉

ex. 父は兄に、法律を勉強してほしいと思っていました。

Additional Grammar Points

□ 何も 〈nothing〉：したいことが何もできなくて、兄はかわいそうでした。

Unit 22

☐ **Causative-Passive Expression**：Being forced to do something

ex. わたしは、(母に、)野菜を**食べさせられました**。
　　わたしは、(母に、)牛乳をたくさん**飲まされました**。

☐ **Expressions about Change of State / Ability / Customs / Practices**

(1) **Change of state：～くなりました / ～になりました**

ex. 漢字の勉強も、**楽しくなりました**。
　　本を読むことも**好きになりました**。

(2) **Changes of Ability：～〈できる〉ようになりました / ～〈できなく〉なりました**

ex. 漢字を上手に**書けるようになりました**。

(3) **Changes of Customs / Pracrices：～(する)ようになりました / ～なくなりました**

ex. 結婚してから、**料理をするようになりました**。(Unit 16, p.33)
　　自分で本を買って、**読むようになりました**。
　　好きだったマンガは、**読まなくなりました**。

Additional Grammar Points

☐ ～のおかげで〈thanks to ～〉：先生のおかげで、漢字をよく覚えました。

Unit 23

☐ **Passive Expression B**：Receiving another〈person〉's physical action

ex. 飛行機の中で、女の人に足を**踏まれました**。
　　妹は、サイフを**盗まれました**。

☐ **～てしまう**〈mistakenly, unfortunately ～〉

ex. 辞書をうちに**忘れてしまいました**。

☐ **～(する)と①**〈When ～〉

ex. 道を歩いている**と**、急に犬にほえられました。

Additional Grammar Points

☐ ～ようです〈It seems that ～〉：教室に、カがいたようです。
☐ ～(する)ことになりました〈It was decided that ～〉：わたしたちは、別の部屋に移ることになりました。
☐ すると〈then〉：すると、スーツケースがこわれていました。
☐ そこ〈that place〉：妹は、そこでサイフを盗まれました。

Unit 24

□ **Passive Expression C**: Academic passive

ex. 日本では、日本語が**話されています**。
日本語では、ひらがなとカタカナと漢字が**使われています**。

□ ~(する)と② 〈When / If ~〉

ex. 春になる**と**、あたたかくなります。

Additional Grammar Points

□ ~が(~で)一番~ 〈~ is the most ~ (in / among ~)〉：
ゴールデンウィークのころが、一年で一番気持ちがいいです。

□ ~ても 〈wherever / whenever / whoever / etc. ~〉：どこに行っても、日本語が話されています。

□ ~しか(~ません) 〈nothing but ~〉：日本人は、ずっと日本語しか知りません。

Supplementary Unit

□ ~(れ)ば 〈if ~〉

ex. 授業をしっかり**聞けば**、分かりました。

□ **question word** (+ **particle**) + **~(れ)ばいいか** (what / when / where / how to ~)

ex. いつも、**何を覚えればいいか**、はっきりしていました。

Additional Grammar Points

□ ~てあります：二人のTシャツには「Daikyo Climbing Team」と書いてありました。
(cf.GJG (2))

□ ~ておきます：大学時代にいろいろな経験をしておくことが大切だと思います。
(cf.GJG (3))

□ ~よ：山に行くと、とても気持ちがいいですよ。(cf.GJG (4))

□ ~すぎる 〈overdo something〉：わたしは勉強のことを心配しすぎていたのです。
(cf.GJG (6))

□ ~のです or ~んです：わたしは勉強のことを心配しすぎていたのです。(cf.GJG (7))

□ ~なさい 〈imperative expression〉：これを覚えなさい。(cf.GJG (8))

□ ~ようと思います 〈have made up one's mind to ~〉：
「正しい答え」ではなく、いろいろな見方や考え方を勉強しようと思います。(cf.GJG (9))

□ ~ようとしても 〈even if one try hard to ~〉：正しい答えを見つけようとしても、見つけられません。(cf.GJG (10))

□ ~わけではありません 〈it doesn't mean that ~〉：勉強がきらいになったわけではありません。
(cf.GJG (11))

□ ~始める、~続ける 〈begin to ~ , continue to ~〉：
日本語を勉強し始めたときも、漢字が分かるので、それほどたいへんではありませんでした。
これからも勉強し続けます。(cf.GJG (12))

INDEX OF GRAMMAR

The Gist of Japanese Grammar

Unit 13 .....p.7

(1) ～たら① vs. ～てから

(2) ～たら②

(3) ～ながら

Unit 14 .....p.17

(1) The Dictionary Form of the Verb

(2) こと vs. の

Unit 15 .....p.25

(1) Noun-modifying Clause

(2) (まだ)～ていません

(3) ～たいと思っています

Unit 16 .....p.34

(1) Potential Form of the Verb

(2) ～(する)前

(3) ～なので

(4) ので vs. から

(5) ～(する)ようになりました

(6) How to Combine an Adjective to と思います

Unit 17 .....p.43

(1) あげる, もらう and くれる

(2) さしあげる, いただく and くださる

(3) どれも vs. みんな

Unit 18 .....p.54

(1) 「～に～てもらいました」 or 「～から～てもらいました」

(2) ～てくれました and ～てあげました

(3) 親切に教えてくれました

Unit 19 .....p.63

(1) そうです① vs. そうです②

(2) そうです① vs. らしいです

(3) ～てみる

Unit 20 .....p.71

(1) Passive Expressions

(2) ～ように言われました

Unit 21 .....p.81

(1) Causative Expression

(2) ～(さ)せてくれました and ～(さ)せてくれませんでした

(3) ～(さ)せようとしました

(4) ～てほしいです and ～てほしいと思っています

(5) 何でも vs. 何も

Unit 22 .....p.89

(1) Causative-Passive Expression

(2) Expressions about Changes State / Ability / Customs / Practices

Unit 23 .....p.97

(1) ～に：indicating the source / cause of suffering in question within passive expression

(2) ～てしまいました

(3) ～(する)と①

(4) ～ようです

(5) ～(する)ことになりました

Unit 24 .....p.105

(1) ～(する)と②

(2) ～が一番～

Supplementary Unit p.117

（1） **Conditional Expressions**：
～れば, ～たら and ～と

（2） ～てあります

（3） ～ておきます

（4） ～よ and ～ね

（5） 何かー何も, 誰かー誰も, 誰かにー誰にも and どこかにーどこにも

（6） ～すぎる

（7） ～んです or ～のです

（8） ～なさい

（9） ～ようと思います

（10） ～ようとしても

（11） ～わけではありません

（12） ～始める, ～続ける and ～終わる

INDEX OF GRAMMAR

著者紹介（ちょしゃしょうかい）

西口　光一（にしぐち　こういち）

現職　大阪大学国際教育交流センター教授、同大学院言語文化研究科兼任

専門　日本語教育学、言語心理学

経歴　博士（言語文化学）。国際基督教大学大学院教育学研究科博士前期課程修了（教育学修士）。アメリカ・カナダ大学連合日本研究センター講師、ハーバード大学言語文化部上級日本語課程主任を経て現職。

著書　『NIJ：A New Approach to Intermediate Japanese ―テーマで学ぶ中級日本語―』（くろしお出版）、『基礎日本語文法教本』（アルク）、『Kanji in Context』（ジャパンタイムズ）、『みんなの日本語初級 漢字』（監修・スリーエーネットワーク）、『例文で学ぶ 漢字と言葉』（スリーエーネットワーク）、『日本語 おしゃべりのたね』（監修・スリーエーネットワーク）などを執筆・監修している。日本語教育学関係の著書としては、『新次元の日本語教育の理論と企画と実践 ―第二言語教育学と表現活動中心のアプローチ―』（くろしお出版）、『第二言語教育のためのことば学 ―人文・社会科学から読み解く対話論的な言語観―』（福村出版）、『対話原理と第二言語の習得と教育 ―第二言語教育におけるバフチン的アプローチ―』（くろしお出版）、『第二言語教育におけるバフチン的視点 ―第二言語教育学の基盤として―』（くろしお出版）、『日本語教授法を理解する本 歴史と理論編』（バベルプレス）、『文化と歴史の中の学習と学習者 ―日本語教育における社会文化的パースペクティブ―』（編著・凡人社）、『社会と文化の心理学 ―ヴィゴツキーに学ぶ―』（共著・世界思想社）、『日本語教育のフロンティア―学習者主体と協働―』（共著・くろしお出版）、『ことばと文化を結ぶ日本語教育』 共著・凡人社）、『社会文化的アプローチの実際 ―学習活動の理解と変革のエスノグラフィー―』（共著・北大路書房）などがある。

NEJ : A New Approach to Elementary Japanese [vol.2]

— テーマで学ぶ基礎日本語 —

2012年8月30日　第1刷 発行
2021年1月30日　第5刷 発行

[著者]　西口光一

[発行]　くろしお出版
〒102-0084　東京都千代田区二番町4-3
Tel : 03·6261·2867　Fax : 03·6261·2879
URL : http://www.9640.jp　Mail : kurosio@9640.jp
[印刷]　シナノ書籍印刷

ISBN 978-4-87424-562-0 C0081

■ 英語校正
Ruth Bolton

■ 音声収録
VOICE- PRO

■ 本文イラスト
須山奈津希

■ 装丁デザイン
スズキアキヒロ

■ 本文デザイン
市川麻里子

List of Target Kanji

＊ユニット番号は、その漢字を学習する Writing Practice Sheets の番号です。
Target kanji are listed after the unit number of the Writing Practice Sheets.

							Unit 4	一 1	二 2	三 3
十 4	土 5	口 6	古 7	日 8	目 9	中 10	車 11	山 12	川 13	Unit 5
月 14	円 15	人 16	大 17	火 18	八 19	分 20	父 21	小 22	少 23	水 24
木 25	本 26	Unit 6	見 27	先 28	生 29	年 30	毎 31	子 32	友 33	五 34
万 35	六 36	七 37	九 38	Unit 7	上 39	下 40	白 41	百 42	千 43	四 44
西 45	今 46	金 47	男 48	女 49	母 50	Unit 8	兄 51	姉 52	弟 53	妹 54
会 55	社 56	仕 57	事 58	学 59	校 60	高 61	語 62	国 63	外 64	銀 65
行 66	来 67	明 68	元 69	気 70	Unit 9	道 71	家 72	春 73	夏 74	秋 75
冬 76	京 77	都 78	休 79	近 80	思 81	食 82	聞 83	新 84	Unit 10	花 85
自 86	電 87	話 88	英 89	手 90	動 91	歩 92	走 93	持 94	使 95	着 96
帰 97	長 98	楽 99	同 100	好 101	安 102	全 103	Unit 11	朝 104	晩 105	買 106
物 107	勉 108	強 109	起 110	作 111	読 112	書 113	出 114	後 115	Unit 12	曜 116
週 117	時 118	間 119	洗 120	濯 121	雨 122	風 123	台 124	窓 125	転 126	天 127
入 128	乗 129	早 130	Unit 13	半 131	授 132	業 133	図 134	館 135	研 136	究 137
室 138	実 139	験 140	発 141	表 142	準 143	備 144	始 145	終 146	暗 147	遅 148

Review of the Basic Kanji p.2

Writing Practice Sheets p.18

Grammar Practice Sheets p.40

complementary to

NEJ : A New Approach to Elementary Japanese vol.2

Review of the Basic Kanji

※ Study this section before or after you study Unit 13.

1. Kanji that you have leaned in NEJ[vol.1]

➢ Confirm your knowledge of the following kanji while comparing their patterns in the kanji chains and kanji trees provided below.

▶This review contains:

- All of the N5 kanji from the JLPT.
- All 130 Kanji from Vol.1.
- Some extra Kanji.

▶Some Kanji is marked as follows:

- No mark : Kanji that was learned in Vol.1 (Units1-12).
- Unit number : Kanji to be learned in Vol.2 (Units13-24).
- ○ : Kanji that is included in JLPT N5 and is not learned in this series.
- × : Kanji that is included in JLPT N4 or higher levels and is not learned in this series.

■ Kanji chain の見方

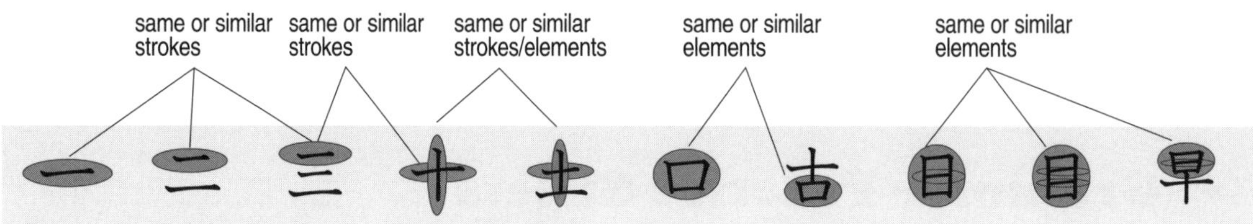

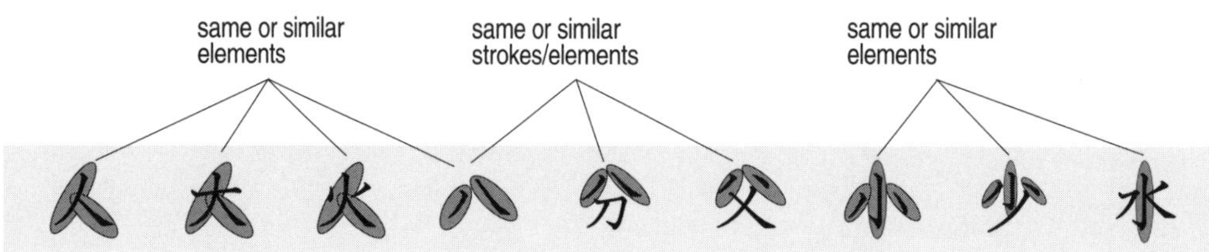

■ Kanji tree の見方

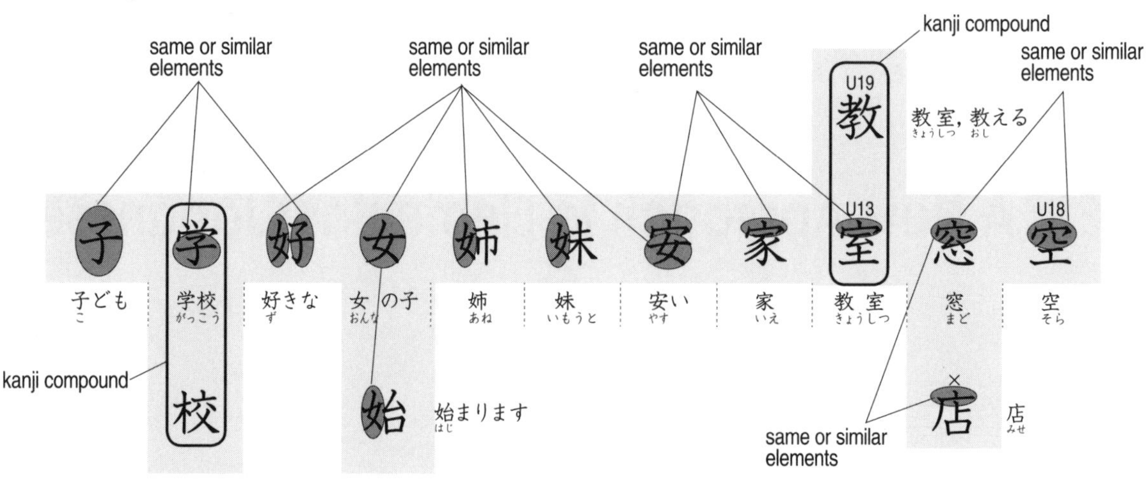

(1) 65 kanjis in chains

1. First kanji chain

一	二	三	十	土	口	古	日	目	早
一(いち), 一人(ひとり)	二(に), 二人(ふたり)	三(さん), 三人(さんにん)	十(じゅう)	土曜日(どようび)	口(くち)	古(ふる)い	日曜日(にちようび)	目(め) (eye)	早(はや)い
一	二	三	十	土	口	古	日	目	早
一	二	三	十	土	口	古	日	目	早
一	二	三	十	土	口	古	日	目	早

2. Second kanji chain

中	車
中(なか)	車(くるま) (car)

中	車	中	車	中	車	中	車	中	車

3. Third kanji chain

人	大	火	八	分	父	小	少	水	山	出
日本人(にほんじん)	大(おお)きい	火曜日(かようび) (Tuesday)	八(はち)	分(ふん/ぶん)	父(ちち)	小(ちい)さい	少(すこ)し	水曜日(すいようび) (Wednesday)	山(やま)	出(だ)す(submit)
人	大	火	八	分	父	小	少	水	山	出
人	大	火	八	分	父	小	少	水	山	出
人	大	火	八	分	父	小	少	水	山	出

4. Forth kanji chain

川	月	円	同
川(かわ) (river)	月(つき) (moon)	円(えん) (yen)	同(おな)じ(same)

川	月	円	同	川	月	円	同
川	月	円	同				

5. Fifth kanji chain

木	本	○ 東	来
木曜日 (もくようび) (Thursday)	本, 日本 (ほん　にほん)	東京 (とうきょう) (Tokyo)	来ます (き)

木　本　東　来　木　本　東　来

木　本　東　来　木　本　東　来

6. Sixth kanji chain

九	U19 北	兄	元	見	先	生	年	毎	手	子
九 (きゅう/く)	北 (きた) (north)	兄 (あに)	元気な (げんき)	見ます (み)	先生 (せんせい)		今年 (ことし)	毎日 (まいにち)	手 (て)	子ども (こ)

九　北　兄　元　見　先　生　年　毎　手　子

九　北　兄　元　見　先　生　年　毎　手　子

九　北　兄　元　見　先　生　年　毎　手　子

7. Seventh kanji chain

× 多	外	友	○ 左	○ 右	五	万	六	U16 立
多い (おお) (a lot, abundant)	外国, 外 (がいこく　そと)	友だち (とも)	左 (ひだり) (left)	右 (みぎ) (right)	五 (ご)	一万円 (いちまんえん) (ten thousand yen)	六 (ろく)	立つ (た) (stand)

多　外　友　左　右　五　万　六　立

多　外　友　左　右　五　万　六　立

多　外　友　左　右　五　万　六　立

8. Eighth kanji chain

七	上	下	白	百	千
七 しち/なな	上 うえ	下 した	白い しろ	百円 ひゃくえん (one hundred yen)	千円 せんえん (one thousand yen)
七	上	下	白	百	千
七	上	下	白	百	千
七	上	下	白	百	千

9. Ninth kanji chain

四	西	今	金	男	女	母	U23 足
四 し/よん	西 (west) にし	今, 今日 いま きょう	金曜日 きんようび	男の人 おとこ ひと	女の人 おんな ひと	母 はは	足 (leg) あし
四	西	今	金	男	女	母	足
四	西	今	金	男	女	母	足
四	西	今	金	男	女	母	足

(2) 140 kanji trees

1. First kanji tree

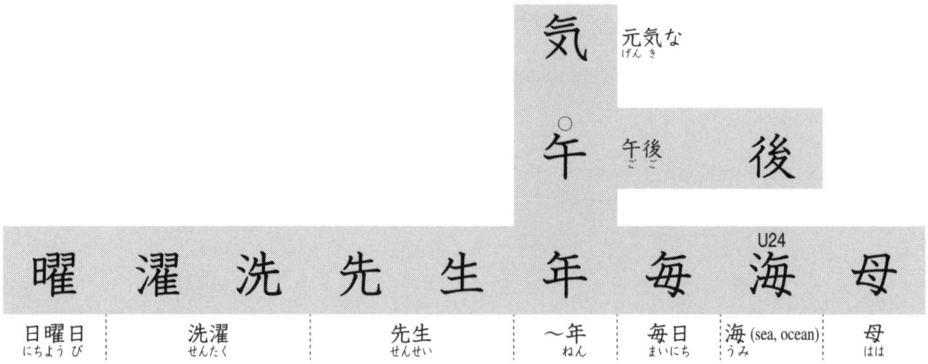

2. Second kanji tree

○ 南	南 (south) みなみ

U14 音	U13 暗	晩	時	明	朝	同	雨	電	買	× 貝
音楽 おんがく	暗い (dark) くら	晩ごはん ばん	～時 じ	明るい あか	朝 あさ	同じ おな	雨 あめ	電気 でんき	買います か	貝 かい (shellfish)

持	U23 待	× 寺	× 特
持っています も (have)	待ちます ま (wait)	お寺 てら (temple)	特に とく

南
音 暗 晩 時 明 朝 同 雨 電 買 貝
持 待 寺 特

南
音 暗 晩 時 明 朝 同 雨 電 買 貝
持 待 寺 特

南
音 暗 晩 時 明 朝 同 雨 電 買 貝
持 待 寺 特

3. Third kanji tree

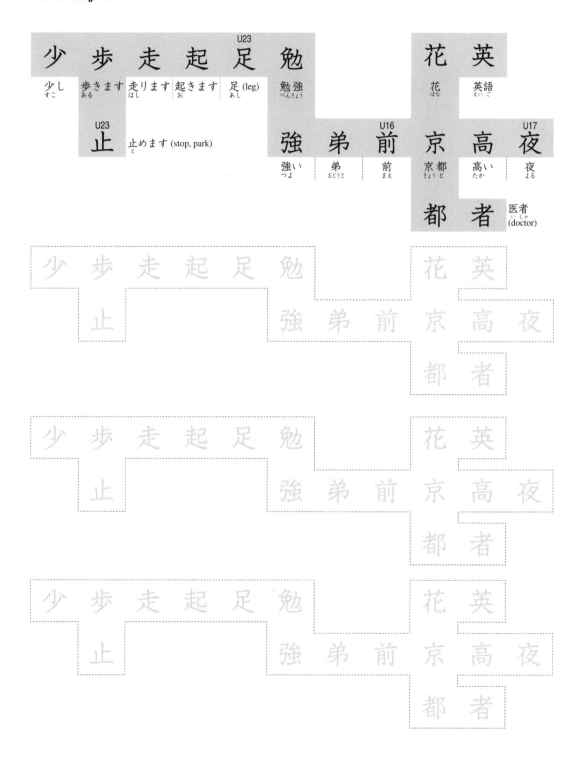

少　歩　走　起　足 (U23)　勉　　花　英

少し（すこ）　歩きます（ある）　走ります（はし）　起きます（お）　足（あし） (leg)　勉強（べんきょう）　花（はな）　英語（えいご）

止 (U23)　止めます（と） (stop, park)

強　弟　前 (U16)　京　高　夜 (U17)

強い（つよ）　弟（おとうと）　前（まえ）　京都（きょうと）　高い（たか）　夜（よる）

都　者　医者（いしゃ） (doctor)

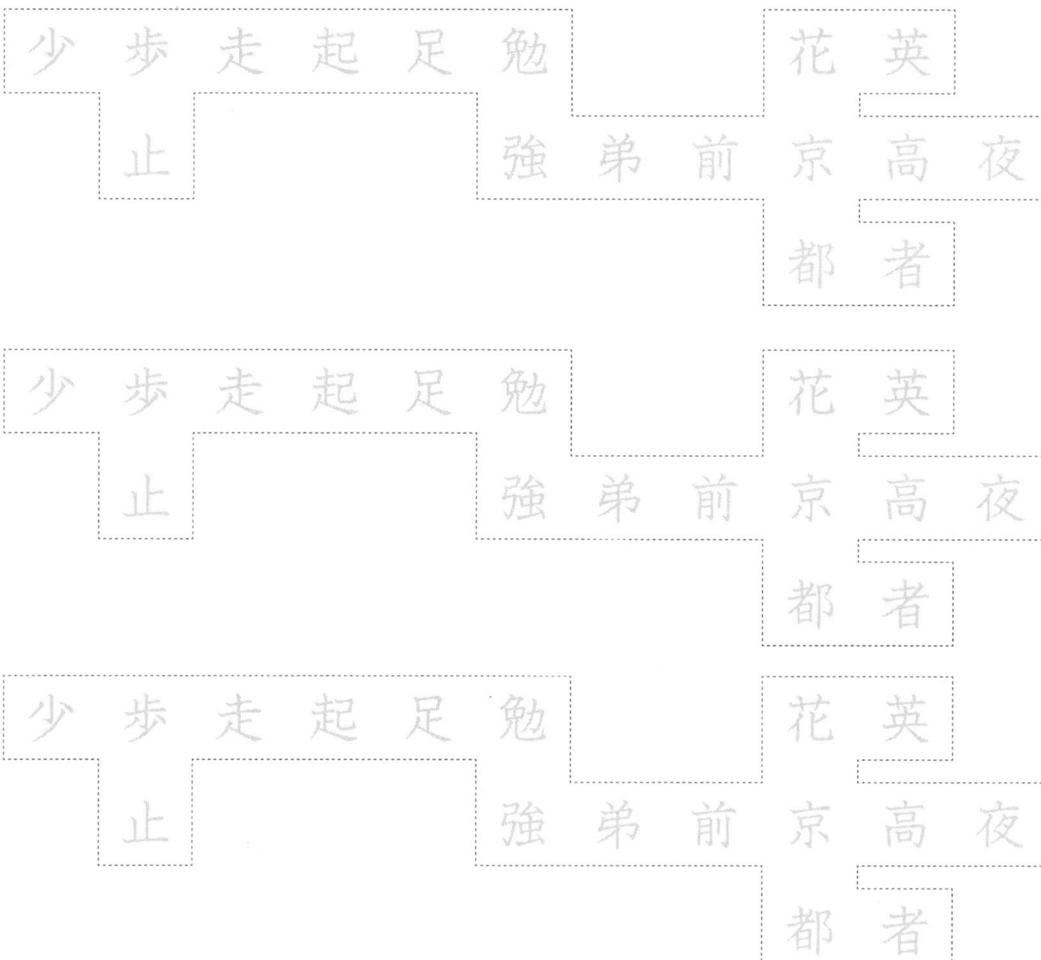

4. Fourth kanji tree

U19 教 — 教室(きょうしつ), 教えます(おし)

子	学	好	女	姉	妹	安	家	U13 室	窓	U18 空
子(こ)ども	学校(がっこう)	好(す)きな	女(おんな)の子	姉(あね)	妹(いもうと)	安(やす)い	家(いえ)	教室(きょうしつ)	窓(まど)	空(そら) (sky)

- 学 → 校
- 女 → U13 始 — 始(はじ)まります
- 窓 → ○ 店 — 店(みせ)

5. Fifth kanji tree

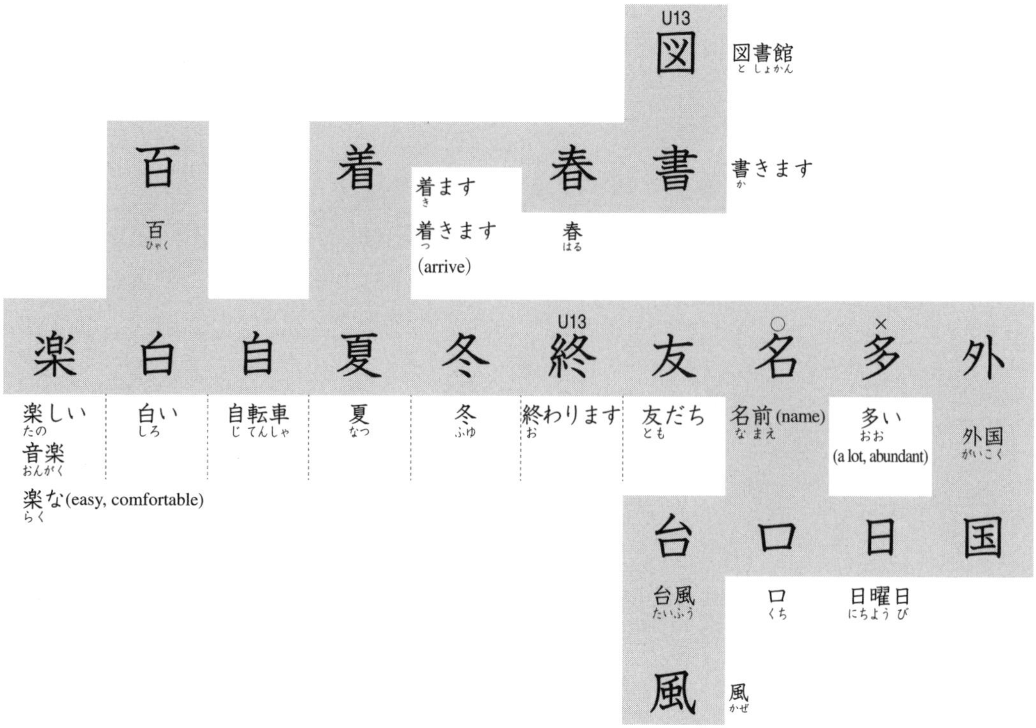

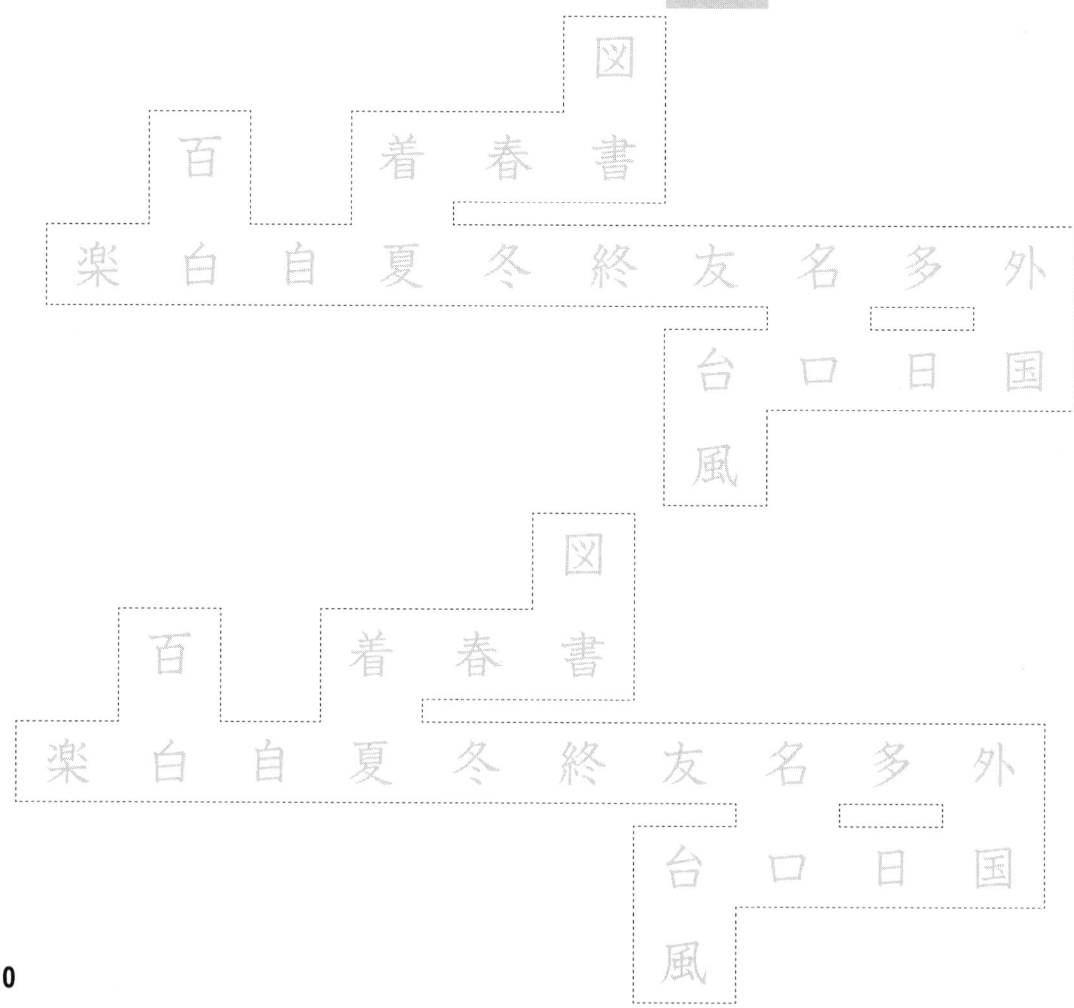

6. Sixth kanji tree

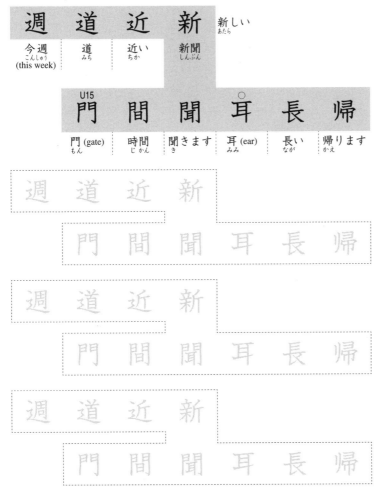

週	道	近	新	新しい (あたら)
今週 (こんしゅう) (this week)	道 (みち)	近い (ちか)	新聞 (しんぶん)	

門 (U15)	間	聞	耳 ○	長	帰
門 (もん) (gate)	時間 (じかん)	聞きます (き)	耳 (みみ) (ear)	長い (なが)	帰ります (かえ)

週 道 近 新

門 間 聞 耳 長 帰

週 道 近 新

門 間 聞 耳 長 帰

週 道 近 新

門 間 聞 耳 長 帰

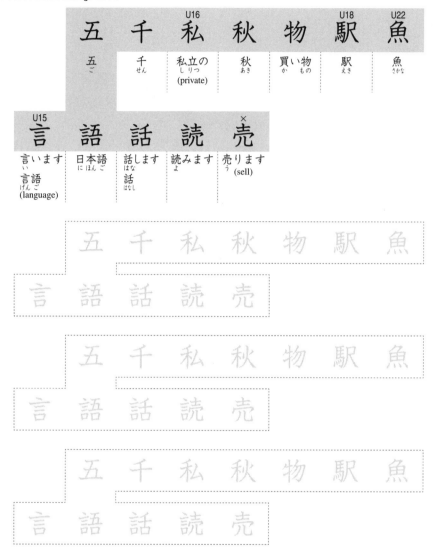

7. Seventh kanji tree

	U16			U18	U22	
五	千	私	秋	物	駅	魚
五(ご)	千(せん)	私立(しりつ)の (private)	秋(あき)	買(か)い物(もの)	駅(えき)	魚(さかな)

U15				×
言	語	話	読	売
言(い)います 言語(げんご) (language)	日本語(にほんご)	話(はな)します 話(はなし)	読(よ)みます	売(う)ります (sell)

五 千 私 秋 物 駅 魚
言 語 話 読 売

五 千 私 秋 物 駅 魚
言 語 話 読 売

五 千 私 秋 物 駅 魚
言 語 話 読 売

8. Eighth kanji tree

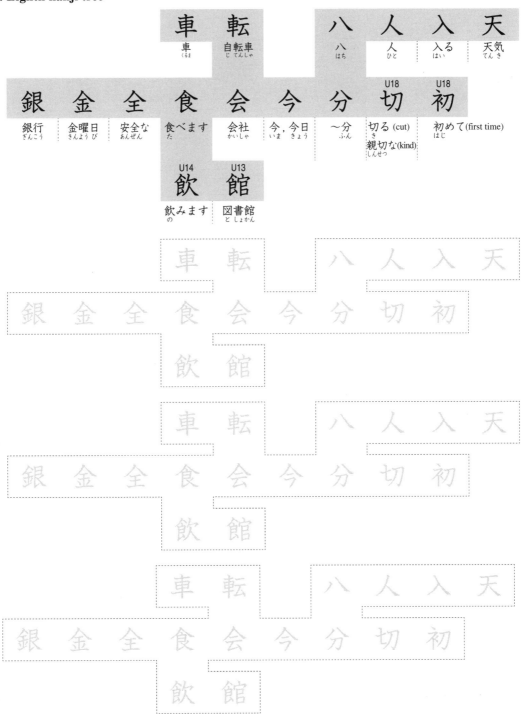

車　転　　八　人　入　天

車（くるま）　自転車（じてんしゃ）　八（はち）　人（ひと）　入る（はい）　天気（てんき）

銀　金　全　食　会　今　分　U18 切　U18 初

銀行（ぎんこう）　金曜日（きんようび）　安全な（あんぜん）　食べます（た）　会社（かいしゃ）　今，今日（いま　きょう）　～分（ふん）　切る（き） (cut)　親切な（しんせつ）(kind)　初めて（はじ）(first time)

U14 飲　U13 館

飲みます（の）　図書館（としょかん）

車　転　　八　人　入　天
銀　金　全　食　会　今　分　切　初
飲　館

車　転　　八　人　入　天
銀　金　全　食　会　今　分　切　初
飲　館

車　転　　八　人　入　天
銀　金　全　食　会　今　分　切　初
飲　館

9. Ninth kanji tree

社　会社(かいしゃ)

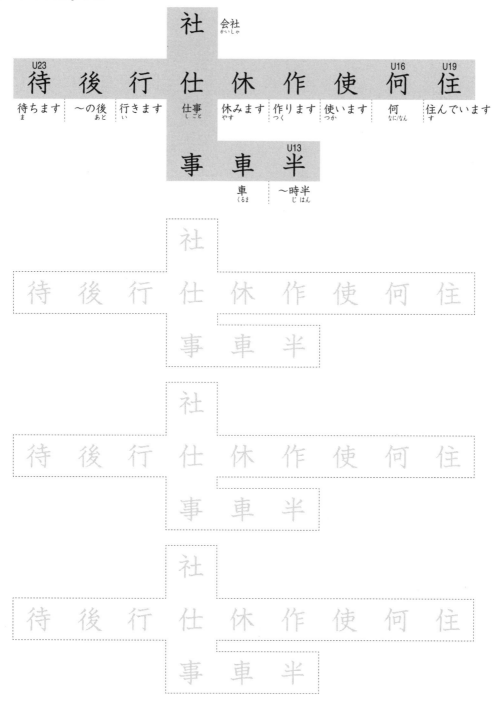

U23							U16	U19
待	後	行	仕	休	作	使	何	住
待(ま)ちます	～の後(あと)	行(い)きます	仕事(しごと)	休(やす)みます	作(つく)ります	使(つか)います	何(なに/なん)	住(す)んでいます

		U13
事	車	半
	車(くるま)	～時半(じはん)

社
待　後　行　仕　休　作　使　何　住
事　車　半

社
待　後　行　仕　休　作　使　何　住
事　車　半

社
待　後　行　仕　休　作　使　何　住
事　車　半

10. Tenth kanji tree

窓	× 心	思	男	× 力	動	× 重	乗
窓 (まど)	心 (こころ) (heart)	思う (おも)	男の人 (おとこ ひと)	力 (ちから)	動きます (うご) (move) 自動車 (じどうしゃ) (automobile)	重い (おも) (heavy)	乗ります (の)

窓 心 思 男 力 動 重 乗

窓 心 思 男 力 動 重 乗

窓 心 思 男 力 動 重 乗

2. Reviewing

➢Write the appropriate kanji on the lines.

りさん

わたしは、____(まいあさ)、7時半に起きます。____(お)きたら、すぐに歯(は)をみがきます。夏には、シャワーをします。そして、朝ごはんを食べます。____(しんぶん)を____(よ)みながら、____(あさ)ごはんを食べます。ごはんを食べてから、もう一度歯をみがきます。8時半にうちを____(で)ます。そして、____(じてんしゃ)で学校に____(い)きます。____(がっこう)まで、10分くらいです。____(ちか)いです。授業は、8時50分に始まります。そして、たいてい4時10____(ぷん)に終わります。たいてい、図書館に行って、____(すこ)し勉強してから、うちに____(かえ)ります。時々、5時間目の授業があります。5時間目があるときは、図書館に____(い)きません。

____(なつ)は、6時ごろでも、まだ____(あか)るいですが、____(ふゆ)は、6時には、もう暗いです。暗い夜の____(みち)は、ちょっとこわいです。

うちに帰ったら、すぐに____(て)を____(あら)って、うがいをします。そして、晩ごはんを____(つく)って、____(た)べます。____(とも)だちと____(はなし)をしながら、晩ごはんを食べます。____(ばん)ごはんが____(お)わったら、メールをチェックします。それから、お風呂に____(はい)ります。お風呂の____(あと)、2____(じかん)くらい____(べんきょう)します。そして、12時ごろに寝ます。

➢ Write the reading of the underlined kanji-words.

リさん

わたしは、毎朝、7時半に起きます。起きたら、すぐに歯(は)をみがきます。夏には、シャワーをします。そして、朝ごはんを食べます。新聞を読みながら、朝ごはんを食べます。ごはんを食べてから、もう一度歯をみがきます。8時半にうちを出ます。そして、自転車で学校に行きます。学校まで、10分くらいです。近いです。授業は、8時50分に始まります。そして、たいてい4時10分に終わります。たいてい、図書館に行って、少し勉強してから、うちに帰ります。時々、5時間目の授業があります。5時間目があるときは、図書館に行きません。

夏は、6時ごろでも、まだ明るいですが、冬は、6時には、もう暗いです。暗い夜の道は、ちょっとこわいです。

うちに帰ったら、すぐに手を洗って、うがいをします。そして、晩ごはんを作って、食べます。友だちと話をしながら、晩ごはんを食べます。晩ごはんが終わったら、メールをチェックします。それから、お風呂に入ります。お風呂の後、2時間くらい勉強します。そして、12時ごろに寝ます。

毎日の生活
まいにち　せいかつ

半 131	授 132	業 133	図 134	館 135	研 136	究 137	室 138	実 139	験 140
発 141	表 142	準 143	備 144	始 145	終 146	暗 147	遅 148		

I. Nouns

1. ～時半（じはん）　時半　時半　時半　時半　時半
2. 授業（じゅぎょう）　授業　授業　授業　授業　授業
3. 図書館（としょかん）　図書館　図書館　図書館　図書館
4. 研究（けんきゅう）　研究　研究　研究　研究　研究
5. 研究室（けんきゅうしつ）　研究室　研究室　研究室　研究室
6. 実験（じっけん）　実験　実験　実験　実験　実験
7. 発表（はっぴょう）　発表　発表　発表　発表　発表
8. 準備（じゅんび）　準備　準備　準備　準備　準備

Ⅱ. Others

1. 始(はじ)まります　始まります　始まります　始まります
始まります

2. 終(お)わります　終わります　終わります　終わります
終わります

3. 暗(くら)い　暗い　暗い　暗い　暗い　暗い

4. 遅(おそ)い　遅い　遅い　遅い　遅い　遅い

Ⅲ. Readings

1. 着きます　（　　　　　　　　）

わたしの楽しみ

たの

音	映	画	趣	味	写	真	結	婚	族
149	150	151	152	153	154	155	156	139	140
妻	曲	当	飲	習					
157	158	159	160	161					

I. Nouns

1. 音楽（おんがく） 音楽 音楽 音楽 音楽 音楽

2. 映画（えいが） 映画 映画 映画 映画 映画

3. 趣味（しゅみ） 趣味 趣味 趣味 趣味 趣味

4. 写真（しゃしん） 写真 写真 写真 写真 写真

5. 結婚（けっこん） 結婚 結婚 結婚 結婚 結婚

6. 家族（かぞく） 家族 家族 家族 家族 家族

7. 妻（つま） 妻 妻 妻 妻 妻

8. 曲（きょく） 曲 曲 曲 曲 曲

Ⅱ. Others

1. 本当(の) (ほんとう)　本当　本当　本当　本当　本当

2. 飲む (の)　飲む　飲む　飲む　飲む　飲む

3. 習う (なら)　習う　習う　習う　習う　習う

わたしの将来
しょうらい

専 164 門 165 工 166 部 167 卒 168 院 169 言 170 理 171 解 172 進 173
性 174 決 175 続 176

I. Nouns

1. 専門 せんもん 専門 専門 専門 専門 専門
2. 工学 こうがく 工学 工学 工学 工学 工学
3. 工学部 ぶ 工学部 工学部 工学部 工学部
4. 大学院 だいがくいん 大学院 大学院 大学院 大学院
5. 卒業 そつぎょう 卒業 卒業 卒業 卒業 卒業
6. 言語 げんご 言語 言語 言語 言語 言語
7. 理解 りかい 理解 理解 理解 理解 理解
8. 進学 しんがく 進学 進学 進学 進学 進学
9. 女性 じょせい 女性 女性 女性 女性 女性

Ⅱ. Others

1. 決(き)める 決める 決める 決める 決める

2. 続(つづ)ける 続ける 続ける 続ける 続ける

Ⅲ. Readings

1. 人間　(　　　　　　　　)

2. 家事　(　　　　　　　　)

3. 大学院で勉強している間(は)
(　　　　　　　　　　　　　　　　　　　　)

できること・できないこと

系	私	立	漢	字	意	料	最	方	何
177	178	179	180	181	182	183	184	185	186
前	得								
187	188								

Ⅰ. Nouns

1. ～系（けい） 系　系　系　系　系
2. 私立（しりつ） 私立　私立　私立　私立　私立
3. 漢字（かんじ） 漢字　漢字　漢字　漢字　漢字
4. 意味（いみ） 意味　意味　意味　意味　意味
5. 料理（りょうり） 料理　料理　料理　料理　料理
6. 最近（さいきん） 最近　最近　最近　最近　最近

Ⅱ. Others

1. ～方（かた） 方　方　方　方　方
2. 何（なん）でも 何でも　何でも　何でも　何でも
3. ～前（まえ） 前　前　前　前　前
4. 得意（とくい）な 得意な　得意な　得意な　得意な

プレゼント

計	親	戚	誕	夜	彼	形	絵
189	190	191	192	193	194	195	196

Ⅰ. Nouns

1. 時計 (とけい)　時計　時計　時計　時計　時計
2. 親戚 (しんせき)　親戚　親戚　親戚　親戚　親戚
3. 誕生日 (たんじょうび)　誕生日　誕生日　誕生日　誕生日
4. 夜 (よる)　夜　夜　夜　夜　夜
5. 彼女 (かのじょ)　彼女　彼女　彼女　彼女　彼女
6. 人形 (にんぎょう)　人形　人形　人形　人形　人形
7. 絵本 (えほん)　絵本　絵本　絵本　絵本　絵本

Ⅱ. Readings

1. 食事　(　　　　　　　　)
2. 毎年　(　　　　　　　　)
3. 小学校 (　　　　　　　　)

Unit 18

Writing Practice Sheets

親切・手助け
しんせつ　て だす

荷 197	屋 198	空 199	港 200	駅 201	説 202	地 203	市 204	内 205	助 206
伝 207	送 208	運 209	切 210	初 211					

I. Nouns

1. 荷物（にもつ） 荷物　荷物　荷物　荷物　荷物
2. 部屋（へや） 部屋　部屋　部屋　部屋　部屋
3. 空港（くうこう） 空港　空港　空港　空港　空港
4. 駅（えき） 駅　駅　駅　駅　駅
5. 説明（せつめい） 説明　説明　説明　説明　説明
6. 地図（ちず） 地図　地図　地図　地図　地図
7. 市内（しない） 市内　市内　市内　市内　市内

Ⅱ. Others

1. 助ける(たす) 助ける 助ける 助ける 助ける
2. 手伝う(てつだ) 手伝う 手伝う 手伝う 手伝う
3. 送る(おく) 送る 送る 送る 送る 送る
4. 運ぶ(はこ) 運ぶ 運ぶ 運ぶ 運ぶ 運ぶ
5. 親切な(しんせつ) 親切な 親切な 親切な 親切な
6. 初めて(はじ) 初めて 初めて 初めて 初めて
7. 最初(に)(さいしょ) 最初 最初 最初 最初 最初

Ⅲ. Readings

1. 大使館 (　　　　　　　　)
2. 仕方 (　　　　　　　)
3. 安い (　　　　　　　)
4. 出発する (　　　　　　　)

Unit 19

訪問
ほうもん

席 212	僚 213	北 214	園 215	種 216	類 217	張 218	住 219	教 220	寝 221
便 222	利 223								

I. Nouns

1. 出席 (しゅっせき) 出席 出席 出席 出席 出席

2. 同僚 (どうりょう) 同僚 同僚 同僚 同僚 同僚

3. 北 (きた) 北 北 北 北 北

4. 動物園 (どうぶつえん) 動物園 動物園 動物園 動物園

5. 種類 (しゅるい) 種類 種類 種類 種類 種類

6. 出張 (しゅっちょう) 出張 出張 出張 出張 出張

Ⅱ. Others

1. 住む (す)　住む　住む　住む　住む　住む

2. 教える (おし)　教える　教える　教える　教える

3. 寝る (ね)　寝る　寝る　寝る　寝る　寝る

4. 便利な (べんり)　便利な　便利な　便利な　便利な

Ⅲ. Readings

1. 先週　(　　　　　　)

2. 今日　(　　　　　　)

Unit 20

Writing Practice Sheets

ほめられたこと・しかられたこと

論	文	客	通	訳	輩	世	代	酒	関
224	225	226	227	228	229	230	231	232	233
係	頼	誘	次						
234	235	236	237						

Ⅰ. Nouns

1. 論文（ろんぶん） 論文　論文　論文　論文　論文

2. お客（きゃく）さん 客　客　客　客　客

3. 通訳（つうやく） 通訳　通訳　通訳　通訳　通訳

4. 後輩（こうはい） 後輩　後輩　後輩　後輩　後輩

5. 世話（せわ） 世話　世話　世話　世話　世話

6. 代（か）わり 代わり　代わり　代わり　代わり

7. お酒（さけ） お酒　お酒　お酒　お酒　お酒

8. 関係（かんけい） 関係　関係　関係　関係　関係

Ⅱ. Others

1. 頼む（たの） 頼む　頼む　頼む　頼む　頼む

2. 誘う（さそ） 誘う　誘う　誘う　誘う　誘う

3. 次の（つぎ） 次の　次の　次の　次の　次の

しつけ（1）

野	菜	牛	乳	成	績	法	律	経	済
238	239	240	241	242	243	244	245	246	247
体	絶	対							
248	249	250							

I. Nouns

1. 野菜（やさい） 野菜 野菜 野菜 野菜 野菜
2. 牛乳（ぎゅうにゅう） 牛乳 牛乳 牛乳 牛乳 牛乳
3. 成績（せいせき） 成績 成績 成績 成績 成績
4. 法律（ほうりつ） 法律 法律 法律 法律 法律
5. 経済（けいざい） 経済 経済 経済 経済 経済
6. 体（からだ） 体 体 体 体 体

Ⅱ. Others

1. 絶対(に) 絶対 絶対 絶対 絶対 絶対
ぜったい

Ⅲ. Readings

1. 中学校 (　　　　　　　　　　)

2. サッカー部 (　　　　　　　　　　)

しつけ（2）

声	記	算	練	塾	魚	覚	遊	短	速
251	252	253	254	255	256	257	258	259	260
回	度								
261	262								

I. Nouns

1. 声（こえ） 声 声 声 声 声
2. 日記（にっき） 日記 日記 日記 日記 日記
3. 計算（けいさん） 計算 計算 計算 計算 計算
4. 練習（れんしゅう） 練習 練習 練習 練習 練習
5. 塾（じゅく） 塾 塾 塾 塾 塾
6. 魚（さかな） 魚 魚 魚 魚 魚

Ⅱ. Others

1. 覚える（おぼ） 覚える 覚える 覚える 覚える

2. 遊ぶ（あそ） 遊ぶ 遊ぶ 遊ぶ 遊ぶ 遊ぶ

3. 短い（みじか） 短い 短い 短い 短い 短い

4. 速い（はや） 速い 速い 速い 速い 速い

5. ～回（かい） 回 回 回 回 回

6. 何回も（なんかい） 何回も 何回も 何回も 何回も

7. ～度（ど） 度 度 度 度 度

8. もう一度（いちど） もう一度 もう一度 もう一度 もう一度

Ⅲ. Readings

1. 音読 (　　　　　　　　)

2. 上手な (　　　　　　　　)

ひどい経験
けいけん

犬	辞	足	階	段	末	旅	盗	忘	答
263	264	265	266	267	268	269	270	271	272
止	待	受	取	痛	変	急	別		
273	274	275	276	277	278	279	280		

I. Nouns

1. 犬 (いぬ) 犬 犬 犬 犬 犬
2. 辞書 (じしょ) 辞書 辞書 辞書 辞書 辞書
3. 足 (あし) 足 足 足 足 足
4. 階段 (かいだん) 階段 階段 階段 階段 階段
5. 年末 (ねんまつ) 年末 年末 年末 年末 年末
6. 旅行 (りょこう) 旅行 旅行 旅行 旅行 旅行

Ⅱ. Others

1. 盗む
ぬす
盗む　盗む　盗む　盗む　盗む

2. 忘れる
わす
忘れる　忘れる　忘れる　忘れる

3. 答える
こた
答える　答える　答える　答える

4. 止まる
と
止まる　止まる　止まる　止まる

5. 待つ
ま
待つ　待つ　待つ　待つ　待つ

6. 受け取る
う　と
受け取る　受け取る　受け取る
受け取る

7. 痛い
いた
痛い　痛い　痛い　痛い　痛い

8. 変な
へん
変な　変な　変な　変な　変な

9. 急に
きゅう
急に　急に　急に　急に　急に

10. 別の
べつ
別の　別の　別の　別の　別の

Ⅲ. Readings

1. 転ぶ　(　　　　　　　　)

2. 経験　(　　　　　　　　)

3. 音　(　　　　　　)

言語（げんご）・地理（ちり）・気候（きこう）

昔	海	街	梅	季	節	葉	赤	黄	色
281	282	283	284	285	286	287	288	289	290
降	知	暑	寒	細	簡	単	苦	約	以
291	292	293	294	295	296	297	298	299	300

Ⅰ. Nouns

1. 昔（むかし） 昔 昔 昔 昔 昔

2. 海（うみ） 海 海 海 海 海

3. 街（まち） 街 街 街 街 街

4. 梅雨（つゆ） 梅雨 梅雨 梅雨 梅雨 梅雨

5. 季節（きせつ） 季節 季節 季節 季節 季節

6. 葉（は） 葉 葉 葉 葉 葉

7. 赤（あか） 赤 赤 赤 赤 赤

8. 黄色（きいろ） 黄色 黄色 黄色 黄色 黄色

Ⅱ. Others

1. 降(ふ)る　降る　降る　降る　降る　降る
2. 知(し)っている　知っている　知っている　知っている　知っている
3. 暑(あつ)い　暑い　暑い　暑い　暑い　暑い
4. 寒(さむ)い　寒い　寒い　寒い　寒い　寒い
5. 細(ほそ)い　細い　細い　細い　細い　細い
6. 簡単(かんたん)な　簡単な　簡単な　簡単な　簡単な
7. 苦手(にがて)な　苦手な　苦手な　苦手な　苦手な
8. 約(やく)～　約　約　約　約　約
9. ～以上(いじょう)　以上　以上　以上　以上　以上

Ⅲ. Readings

1. 文字　（　　　　　　）
2. 発明　（　　　　　　）
3. 日本全国　（　　　　　　）
4. 言葉　（　　　　　　）
5. 変わる　（　　　　　　）
6. 少ない　（　　　　　　）
7. 気持ちがいい　（　　　　　　）

毎日の生活
まいにち せいかつ

1 **Fill in the each blank with** たら , てから , ときは , 後(あと) , **or** ながら **as you go through the textbook.**

1. リさんは、毎朝、7時半に起きます。起き（　　　　　　）、すぐに歯をみがきます。そして、朝ごはんを食べます。新聞を読み（　　　　　　）、朝ごはんを食べます。ごはんを食べ（　　　　　　）、もう一度歯をみがきます。

2. 授業は、たいてい4時10分に終わります。リさんは、図書館に行って、少し勉強し（　　　　　　）、うちに帰ります。時々、5時間目の授業があります。5時間目がある（　　　　　　）、図書館に行きません。

3. リさんは、うちに帰っ（　　　　　　）、すぐに手を洗って、うがいをします。そして、晩ごはんを作って、食べます。友だちと話をし（　　　　　　）、晩ごはんを食べます。晩ごはんが終わっ（　　　　　　）、メールをチェックします。それから、お風呂に入ります。お風呂の（　　　　　　）、2時間くらい勉強します。そして、12時ごろに寝ます。

4. あきおさんは、朝は、たいてい7時に起きます。そして、テレビでニュースを見（　　　　　）、朝ごはんを食べます。朝ごはんが終わっ（　　　　　）、歯をみがきます。そして、8時に学校に行きます。1時間目の授業がない（　　　　　）、8時に起きます。

5. あきおさんは、午後からは、研究室に行きます。時々、10時ごろまで、実験をします。10時に学校を出（　　　　　）、12時ごろにうちに着きます。

わたしの楽(たの)しみ

1 Fill in the each underlined part with the appropriate verbal phrase that corresponds to the English phrase given below.

りさんは、________________（to read books）が大好きです。子どものときは、いつもうちで本を読んでいました。りさんの弟さんは、本を読むのはあまり好きではありません。________________（to read comics）は大好きです。弟さんの趣味は、________________（to read comics）と、________________（to play soccer）です。

りさんは、子どものときは、________________（to watch Japanese animation）が大好きでした。お姉さんといっしょによくアニメ映画を見に行きました。

2 Following are personal narratives of Akio-san and Nishiyama-sensee. Study the textbook carefully and fill in the each underlined part with appropriate verbal phrase that correspond to the English phrase given below.

1. あきおさん

わたしの趣味は、________________（to climb mountains）と、________________（to take pictures）です。父も母も、山登りが大好きです。父は、写真をとるのが好きでした。それで、わたしも、写真を始めました。もう10年写真をとっていますが、________________（to take good pictures）は、なかなかむずかしいです。

2. 西山先生

わたしの趣味は、__________________です。ジャズとクラシックが好きです。
to listen to music

ときどき、ライブハウスに行きます。__________________________は、本当に
to listen to live jazz

楽しいです。

大学生のときは、友だちといっしょにジャズのバンドをしていました。

____は、とても楽しかったです。
to play our favorite music with my friends

妻も、_______________________________ができます。ときどき、いっしょにピ
to play the piano

アノをひきます。

Unit 15

わたしの将来(しょうらい)

[1] **The following passages are personal narratives of Li-san and Akio-san. Study the textbook carefully and fill in the each underlined part with つもりです, と思います, だろうと思います, んじゃないかと思います, かもしれません, or かどうか(まだ)分かりません as you go through the textbook.**

1. リさん

わたしは、大学を卒業したら、大学院に進む＿＿＿＿＿＿＿＿＿＿。将来は、情報通信の会社で仕事をしたいと思っています。博士課程に進むかどうかまだわかりません。行く＿＿＿＿＿＿＿＿＿＿。博士号をとって、大学の先生になるのもいい＿＿＿＿＿＿＿＿＿＿。

結婚は、したいと思っています。でも、結婚しない＿＿＿＿＿＿＿＿＿＿。いい人があらわれたら、結婚したいです。たぶん、28 さいくらいには結婚する＿＿＿＿＿＿＿＿＿＿。結婚後も、仕事を続ける＿＿＿＿＿＿＿＿＿＿。

2. あきおさん

わたしは、将来は、人間とコミュニケーションができるロボットを開発(かいはつ)したいと思っています。大学院に進学する＿＿＿＿＿＿＿＿＿＿。大学院では、人間とロボットとのインターアクションの研究をしたいと思っています。博士課程にも行くと思いますが、進学しないで、就職する＿＿＿＿＿＿＿＿＿＿＿＿＿＿＿。将来は、介護(かいご)ロボットの開発の仕事をしたいです。大学の先生になる＿＿＿＿＿＿＿＿＿＿＿＿＿＿＿＿＿＿。

結婚は、したいです。でも、大学院で勉強している間は、できない＿＿＿＿＿＿＿＿＿＿＿＿＿＿＿＿＿＿。30さいになるまでには、結婚する＿＿＿＿＿＿＿＿＿＿＿＿＿＿＿＿＿＿。子どもは、2人くらいほしいです。

できること・できないこと

1 Complete each sentence with the potential ending or potential negative ending of the verb.

1. リさんは、中国系のマレーシア人です。だから、マレーシア語と中国語が話(はな)＿＿＿＿＿＿。私立(しりつ)の学校に行ったので、英語も話(はな)＿＿＿＿＿＿。

リさんは、高校を卒業してから、日本語の勉強を始めました。今は、日本語が話(はな)＿＿＿＿＿＿し、学校の本も読(よ)＿＿＿＿＿＿。でも、レポートなどは、まだうまく書(か)＿＿＿＿＿＿。漢字の読み方も、時々分かりません。

2. リさんは、日本の食べ物は、何でも食べ＿＿＿＿＿＿＿＿。でも、納豆だけは、食べ＿＿＿＿＿＿＿＿。

3. 西山先生は、今は、少し料理ができます。得意な料理は、カレーとパスタです。カレーは、日本のカレーと、インドのカレーと、タイのカレーが作＿＿＿＿＿＿＿＿。簡単な日本の料理も、作＿＿＿＿＿＿＿＿。

プレゼント

1 The following passages are personal narratives of Li-san, Akio-san, and Nishiyama-sensee. Study the textbook carefully and fill in each underlined part with もらいました, くれました, or あげました as you go through in the textbook.

1. りさん

日本に来るとき、わたしは、いろいろな人からプレゼントを________________。父は、時計を________________。母は、スカーフを________________。兄と姉は、サイフを________________。そして、弟と妹は、セーターを________________。親戚のおじさんは、おこづかいを________________。

2. あきおさん

はたちの誕生日のときに、わたしは、いろいろなプレゼントを________________。父は、ベルトを________________。母は、ネクタイを________________。兄と姉は、ポロシャツを________________。そして、妹は、ハンカチを________________。彼女は、すてきなサイフを________________。

3. 西山先生

毎年、クリスマスには、子どもたちにいろいろな物を________________。子どもたちが小さいときは、人形やおもちゃを________________。上の子には、よく絵本を________________。下の子には、よくアニメのＤＶＤを________________。

2 **Describe what Li-san and Akio-san received as gifts.**

1. リさん

日本に来るとき、リさんは、いろいろな人からプレゼントをもらいました。お父さんからは、＿＿＿＿＿をもらいました。お母さんからは、＿＿＿＿＿をもらいました。お兄さんとお姉さんからは、＿＿＿＿＿＿をもらいました。妹さんと弟さんからは、＿＿＿＿＿をもらいました。そして、親戚のおじさんからは、＿＿＿＿＿＿をもらいました。

2. あきおさん

はたちの誕生日のときに、あきおさんは、いろいろなプレゼントをもらいました。お父さんからは、＿＿＿＿＿＿をもらいました。お母さんからは、＿＿＿＿＿＿＿をもらいました。お兄さんとお姉さんからは、＿＿＿＿＿＿＿＿＿をもらいました。妹さんからは、＿＿＿＿＿＿＿＿をもらいました。彼女からは、すてきな＿＿＿＿＿＿＿＿をもらいました。

Unit 18

Grammar Practice Sheets

親切・手助け
しんせつ　てだす

[1] **The following passages are personal narratives of Li-san and Nishiyama-sensee. Study the textbook carefully and fill in each underlined part with もらいました or くれました.**

1. リさん

国を出るとき、わたしは、いろいろな人に助けて＿＿＿＿＿＿＿＿＿。兄は、大使館にいっしょに行って＿＿＿＿＿＿＿＿＿。妹は、買い物を手伝って＿＿＿＿＿＿＿＿＿。姉は、荷物のパッキングを手伝って＿＿＿＿＿＿＿＿＿。弟は、部屋のそうじをして＿＿＿＿＿＿＿＿＿。

日本に来てからも、いろいろな人に助けて＿＿＿＿＿＿＿＿＿。寮の友だちは、携帯電話の店に連れて行って＿＿＿＿＿＿＿＿＿。インターネットの接続のときは、先輩が手伝って＿＿＿＿＿＿＿＿＿。

電車の乗り方も、分かりませんでした。駅の人は、切符の買い方を親切に教えて＿＿＿＿＿＿＿＿＿。プリペイドカードの使い方も、説明して＿＿＿＿＿＿＿＿＿。自動改札機(じどうかいさつき)の使い方も、教えて＿＿＿＿＿＿＿＿＿。

2. 西山先生

わたしは、川田先生から、シドニーのことをいろいろ教えて＿＿＿＿＿＿＿＿＿＿＿＿＿＿＿＿＿＿。最初に、サウスシドニー大学の場所を教えて＿＿＿＿＿＿＿＿＿＿。それから、大学に近いホテルを紹介して＿＿＿＿＿＿＿＿＿＿。川田先生は、親切にいろいろなことを教えて＿＿＿＿＿＿＿＿＿＿。市内の観光スポットや、歴史的な場所も、教えて＿＿＿＿＿＿＿＿＿＿。安くておいしいレストランも、紹介して＿＿＿＿＿＿＿＿＿＿。

訪問（ほうもん）

1 **Following are personal narratives of Nishiyama-sensee and Akio-san. Study the textbook carefully and fill in each underlined part while changing the verb or adjective given below into an appropriate form. Also, fill in each (　　　) with もらいました, くれました or あげました.**

1. 西山先生

来月、わたしは、オーストラリアのシドニーに行きます。同僚の川田先生は、親切にいろいろなことを教えて（　　　　　　　　　　）。

シドニーでは、ライトレールという電車が________________そうです。
（走っています）

モノレールも________________そうです。とても________________そうです。
（あります）（便利です）

シドニーの北には、大きな動物園が________________そうです。コアラやカンガルーやいろいろな種類のペンギンを________________そうです。
（あります）（見ることができます）

「シドニーは、とても________________そうです。________________そうです。
（おもしろいです）（楽しい出張になります）

2. あきおさん

友だちの大川くんは、先週、カゼで学校を休みました。今日、わたしは、

田中さんといっしょに大川くんのアパートに行きました。大川くんは、まだ

ベッドで寝ていました。でも、わりと＿＿＿＿＿＿＿＿＿そうでした。
元気です

部屋もキッチンも、ちらかっていました。わたしは、部屋のそうじをして

（　　　　　　　　　　　　）。洗濯物がたくさんあったので、洗濯もして

（　　　　　　　　　　　）。

田中さんは、キッチンをかたづけました。ゴミも、出して（

）。そして、大川くんに、スープを作って（

）。大川くんは、＿＿＿＿＿＿＿＿＿そうにスープを飲みました。
おいしいです

大川くんのカゼは、もう＿＿＿＿＿＿＿＿＿そうです。
なおります

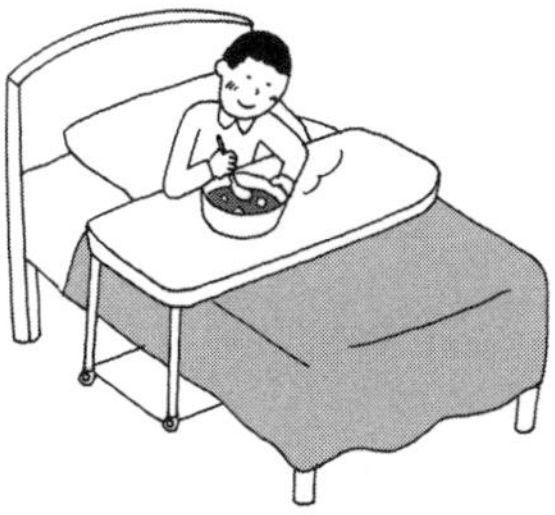

Grammar Practice Sheets

Unit 20 ほめられたこと・しかられたこと

[1] **Fill in each underlined part with ほめられました, しかられました, or 言われました as you go through the textbook.**

1. 子どものとき、リさんは、よく勉強しました。学校の成績もよかったです。それで、よくお父さんに＿＿＿＿＿＿＿＿＿。弟さんや妹さんの世話もよくしました。それで、お母さんによく＿＿＿＿＿＿＿＿＿。3年生になったとき、リさんは、自分の部屋は自分でそうじをするように＿＿＿＿＿＿＿＿＿。すぐにできたので、また、＿＿＿＿＿＿＿＿＿。

リさんの弟さんは、うちでゲームばかりしているので、よくお母さんに＿＿＿＿＿＿＿＿＿。

高校生のとき、リさんのお姉さんはときどき夜遅くうちに帰ってきました。そんなときは、お姉さんはお父さんに＿＿＿＿＿＿＿＿＿。お姉さんは、もっと早くうちに帰ってくるように＿＿＿＿＿＿＿＿＿。

[2] **Fill in the each underlined part with 言われました, 誘われました or 頼まれました as you go through the textbook.**

2. 西山先生は、大学院生のときは、先生からよく仕事を________________。論文のコピーをよく________________。わりと英語がよくできたので、英語のチェックもよく________________。外国人のお客さんが来たときは、通訳を________________。また、後輩の世話をするように________________。その代(か)わりに、先生はよくごちそうしてくれました。西山先生は、お酒にもよく________________。西山先生は、大学のときの先生と、今でもとてもいい関係です。

Unit 21　しつけ（1）

1 **The following passage is a personal narrative of Li-san about her parents' attitude toward her elder brother when he was young. Study the textbook carefully and complete each sentence with the causative or causative negative form of the verb.**

1. りさん

　子どものときは、父も母もやさしかったです。でも、兄には、きびしかったです。

　兄は、野菜がきらいでした。でも、母は、兄に野菜を食(た)べ＿＿＿＿＿＿＿＿＿＿。兄は、牛乳もきらいでした。でも、母は、牛乳を飲(の)＿＿＿＿＿＿＿＿＿＿。兄は、ハンバーガーやフライドチキンが食べたかったです。でも、母は、食(た)べ＿＿＿＿＿＿＿＿＿＿。兄は、ゲームもしたかったです。でも、母も父も、絶対にさ＿＿＿＿＿＿＿＿＿＿。

　父も、兄には、きびしかったです。兄は、友だちと外で遊びたかったです。でも、父は、遊(あそ)＿＿＿＿＿＿＿＿＿＿。兄は、サッカーのチームに入りたかったです。でも、父は、入(はい)＿＿＿＿＿＿＿＿＿＿。父は、兄に毎日勉強(べんきょう)さ＿＿＿＿＿＿＿＿＿＿。家庭教師も来ていました。

　兄は、サッカーの選手になりたかったです。だから、大学に行きたくなかったです。でも、父は、兄を大学に行(い)＿＿＿＿＿＿＿＿＿＿。

2 **The following passage is a personal narrative of Akio-san about her mother's attitude toward his diet. Study the textbook carefully and complete each sentence with the causative form of the verb.**

2. あきおさん

子どものとき、わたしは、きらいな食べ物がいろいろありました。わたしは、ピーマンとトマトがきらいでした。母は、わたしにピーマンとトマトを食(た)べ＿＿＿＿＿＿＿＿ようとしました。でも、わたしは、食べませんでした。牛乳も、きらいでした。母は、わたしに牛乳を飲(の)＿＿＿＿＿＿＿＿ようとしました。でも、わたしは飲みませんでした。

わたしは、ハンバーガーとコーラが大好きでした。でも、母は、ハンバーガーを食(た)べ＿＿＿＿＿＿＿＿てくれませんでした。コーラも、飲(の)＿＿＿＿＿＿＿＿てくれませんでした。

しつけ (2)

1 **Study the textbook carefully and complete each sentence with the causative passive ending of the verb. And also fill in each (　　　) with なりました, になりました or ようになりました.**

1.　あきおさんの小学校2年生のときの先生は、とてもきびしかったです。あきおさんたちは、漢字を何回も何回も書(か)＿＿＿＿＿＿＿＿＿＿。1日に漢字を10個、覚(おぼ)え＿＿＿＿＿＿＿＿＿＿。漢字の小テストも、毎日ありました。短い読み物を、毎日、読(よ)＿＿＿＿＿＿＿＿＿＿。そして、1週間に1回は、読み物の感想文(かんそうぶん)を書(か)＿＿＿＿＿＿＿＿＿＿。1週間に1回、日記も、書(か)＿＿＿＿＿＿＿＿＿＿。計算の練習も、たくさんさ＿＿＿＿＿＿＿＿＿＿。

でも、先生のおかげで、あきおさんは漢字をよく覚えました。そして、上手に書ける(　　　　　　　　　　)。漢字の勉強も、楽しく(　　　　　　　　　　)。本を読むことも好き(　　　　　　　　　　)。計算も、速く(　　　　　　　　　　)。

2.　子どものとき、西山先生のお母さんは、とてもきびしかったです。西山先生は、野菜があまり好きではありませんでした。さしみは好きでしたが、焼き魚はきらいでした。でも、先生は、野菜を食べ____________。焼き魚も、食べ____________。西山先生は、牛乳も好きではありませんでした。でも、牛乳をたくさん飲____________。野菜ジュースも飲____________。

本も、たくさん読____________。先生は、勉強より外で遊ぶことの方が好きでした。でも、勉強ばかりさ____________。塾にも、行____________。

でも、お母さんのおかげで、西山先生は、何でも食べられる（　　　　　　　　）。魚の食べ方も、上手（　　　　　　　　）。牛乳を毎日飲む（　　　　　　　　）。野菜ジュースも好き（　　　　　　　　）。そして、自分で本を買って、読む（　　　　　　　　）。好きだったマンガは、読まなく（　　　　　　　　）。

Unit 23

Grammar Practice Sheets

ひどい経験(けいけん)

1 **Study the textbook carefully and complete each sentence with the passive ending of the verb. Also fill in each （　　　） with てしまいました or でしまいました.**

1.　きのうは、リさんにとって（for Li-san）、ひどい一日でした。いつもとちがう道を歩いていると、急に犬にほえ________________。学校に着いて、カバンをあけると、辞書がありませんでした。リさんは、辞書をうちに忘れ（　　　　　　　　　　）。

授業では、先生にあて________________が、リさんは答えられませんでした。そして、教室にカがいたので、リさんもリさんの友だちも、足や手をカにさ________________。

学校から帰るときは、リさんは、ハチに追(お)いかけ________________。そして、寮に帰ったとき、寮の階段で転ん（　　　　　　　　　　）。

きのうは、リさんにとって本当にひどい一日でした。

2.　あきおさんの家族旅行は、ひどい経験が多かったです。

あきおさんは、飛行機の中で、女の人に足を踏(ふ)＿＿＿＿＿＿＿＿＿＿。妹さんは、ナイトマーケットでサイフを盗(ぬす)＿＿＿＿＿＿＿＿＿＿。あきおさんの家族が乗っていたバスツアーのバスは、途中で動かなくなりました。あきおさんたちは、道の真(ま)ん中(なか)で２時間待(ま)＿＿＿＿＿＿＿＿＿＿。そして、別のバスに乗(の)せ＿＿＿＿＿＿＿＿＿＿。

ホテルで休んでいると、急に変な音がして、エアコンが止まっ（　　　　　　　　　　）。

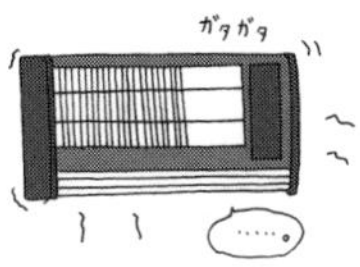

最後に、日本に帰ってきて、空港でスーツケースを受け取りました。すると、スーツケースがこわれていました。あきおさんのお母さんはロックをし（　　　　　　　　　　）。それで、セキュリティの人にスーツケースのカギをこわ＿＿＿＿＿＿＿＿＿＿ようです。

いろいろなことがあったので、あきおさんたちはつかれました。

Unit 24

Grammar Practice Sheets

言語(げんご)・地理(ちり)・気候(きこう)

1 **Study the textbook carefully and complete each sentence with the passive ending of the verb. And also fill in each （　　　） with appropriate particle.**

1.　日本では、昔から日本語が話(はな)＿＿＿＿＿＿＿＿いいます。今も、どこに行っても、日本語（　　　）話されています。

昔、日本語には文字がありませんでした。今、日本語では、ひらがなと、カタカナと、漢字が使(つか)＿＿＿＿＿＿＿＿います。漢字は、5000 年くらい前に、中国で発明(はつめい)＿＿＿＿＿＿＿＿ました。そして、1500 年くらい前に日本に来ました。ひらがなとカタカナは、漢字から作(つく)＿＿＿＿＿＿＿＿ました。ひらがなは、漢字を簡単にして作られました。カタカナは、漢字の一部を使って作(つく)＿＿＿＿＿＿＿＿ました。

日本人は、外国語（　　　）苦手です。英語の勉強の仕方の本がたくさん出版(しゅっぱん)＿＿＿＿＿＿＿＿います。そして、よく読(よ)＿＿＿＿＿＿＿＿います。でも、日本人は、なかなか英語が上手になりません。

2. 日本は、アジアのモンスーン地域(ちいき)にあります。海に囲(かこ)＿＿＿＿＿＿＿＿ているので、昔から漁業(ぎょぎょう)がさかんです。

日本では、四季があります。冬は、寒いですが、春（　　　）なると、あたたかくなります。あたたかくなると、いろいろな花（　　　）さきます。2月の終わりから3月には、うめの花がさきます。そして、4月になると、日本全国（　　　）、さくらがさきます。山も街も、ピンクにそまります。5月は、あたたかくていい天気（　　　）続きます。5月のゴールデンウィークのころ（　　　）、一年で一番気持ちがいいです。

6月には、梅雨（　　　）なります。梅雨になると、ほとんど毎日、雨が降ります。一年（　　　）一番いやな季節です。梅雨（　　　）終わると、夏になります。夏はとても暑いですが、みんな海や山に行きます。夏（　　　）終わって、秋になると、すずしくなります。そして、11月ごろになると、山や街の木の葉が赤や黄色（　　　）変わります。山も、街も、紅葉(こうよう)につつ＿＿＿＿＿＿＿＿ます。春もいい季節ですが、秋（　　　）とてもいい季節です。